Cours Toutoune

AVERTISSEMENT

Cours Toutoune n'est pas médecin! La pratique d'une activité physique peut comporter des risques. Ceci n'est pas une excuse pour ne pas vous y mettre! Mais si vous avez un problème de santé, demandez l'avis de votre médecin avant d'aller courir. L'éditeur et l'auteure déclinent toute responsabilité et ne peuvent en aucun cas être tenus responsables en cas d'accident ou de complications médicales.

© Geneviève Gagnon et Les Publications Modus Vivendi inc., 2016

LES PUBLICATIONS MODUS VIVENDI INC.
55, rue Jean-Talon Ouest
Montréal (Québec) H2R 2W8
CANADA

groupemodus.com

Éditeur : Marc G. Alain
Éditrice déléguée : Isabelle Jodoin
Éditrice de contenu : Nolwenn Gouezel
Correctrice : Flavie Léger-Roy
Design graphique : Groupe Modus
Illustrateur : Yohann Morin pour la couverture et les pages 22,
32, 40, 70, 89, 122, 132, 137, 138, 145, 151, 154, 158 et 165
Photographe de Geneviève Gagnon : Gilbert Fortier
Photographe de Pogo : Sol photographe (solphotographe.com)
Photographe de Dominic Arpin : TVA
Autres photographies : Geneviève Gagnon pour les pages 25 et 26
Autres photographies et illustrations : iStock

ISBN : 978-2-89523-915-4

Dépôt légal – Bibliothèque et Archives nationales du Québec, 2016
Dépôt légal – Bibliothèque et Archives Canada, 2016

Nous reconnaissons l'aide financière du gouvernement du Canada
par l'entremise du Fonds du livre du Canada pour nos activités d'édition.

Gouvernement du Québec – Programme de crédit d'impôt
pour l'édition de livres – Gestion SODEC

Imprimé au Canada

Geneviève Gagnon

Cours Toutoune

Y en n'aura pas de miracle

52 chroniques humoristiques
et motivantes

Préface de **Dominic Arpin**

MODUS VIVENDI

Préface

Geneviève Gagnon est arrivée dans le milieu de la course à pied québécois comme on découvre un point d'eau au détour d'un marathon éreintant sous la canicule : avec un mélange de joie et de fraîcheur !

Je me souviens encore du jour où la productrice de *Cours toujours* * m'a envoyé le lien de la première capsule vidéo de *Cours Toutoune*. Être parodié de la sorte était l'un des plus beaux compliments que l'on pouvait faire à notre émission.

L'expert en médias sociaux que je suis n'avait toutefois pas anticipé la viralité qu'auraient cette vidéo et les suivantes. En moins de deux semaines, le nombre d'abonnés de la page Facebook de *Cours Toutoune* a dépassé celui de l'émission *Cours toujours,* pourtant en ondes depuis des mois ! Un véritable phénomène !

Avec ses capsules, Geneviève Gagnon propose une approche originale et humoristique. Sans le savoir, elle avait trouvé les mots, le style et l'attitude parfaite pour convaincre les gens une fois pour toutes que la course à pied n'est pas réservée à une élite – un mythe que toute l'équipe de *Cours toujours* s'efforçait aussi de détruire. Avec son style coloré et humoristique, sa désinvolture et son sens du punch, Geneviève Gagnon est dorénavant l'une des « gourous du jogging » les plus suivies au Québec. Et c'est tant mieux ! Parce que ne vous y trompez pas, derrière ses blagues et son franc-parler se cache une redoutable motivatrice.

* Cours toujours : émission diffusée sur MAtv, animée par Dominic Arpin, produite par Jessie Films, réalisée par Michaël Lalancette, d'après l'idée originale de Joannie Langevin.

Son habileté à effacer un à un les complexes qui paralysent ceux et celles qui regardent les coureurs avec envie n'a d'égale que son incroyable autodérision. Je vous mets au défi de lire ce livre sans ressentir l'envie irrépressible de mettre vos « running-tchou » et partir courir le sourire aux lèvres !

À lire certains livres techniques sur la course à pied, mettre un pied devant l'autre pour aller courir semble nécessiter le même entraînement qu'un astronaute qui se prépare à marcher sur la Lune. Pas étonnant que certains se sentent découragés et effrayés avant même d'avoir commencé.

Le livre *Cours Toutoune* n'a pas la prétention d'être un guide de course à pied. Page après page, Geneviève Gagnon s'efforce plutôt de démontrer aux lecteurs l'accessibilité et les bienfaits de l'exercice physique. C'est l'amie qui débarque à la maison à l'improviste et qui nous pousse hors du divan en s'exclamant : **« Envoye dehors, Toutoune, on s'en va courir ! »**. Un livre qui fait autant de bien qu'un rush d'endorphine après une course ! Et qui pourrait bien changer votre vie à jamais.

Dominic Arpin
Animateur radio-télé, spécialiste des médias sociaux, coureur

Au programme !

BIENVENUE À *COURS TOUTOUNE* 13

CHU QUI MOÉ ? 14

C'EST QUI LA TOUTOUNE ? 21

LE PARCOURS DE *COURS TOUTOUNE* 22

POGO, MON FIDÈLE COMPAGNON 27

ON VA S'DIRE LES VRAIES AFFAIRES
Arrête de tourner en rond 31
Y en n'a pas de miracle ! 32
Miroir, mon beau miroir 35
Bien dans sa peau, mieux dans son corps 37
C'est drette là que ça se passe 40
Le plus dur, c'est de s'y mettre 42
Une question d'habitude 45

À TABLE, TOUTOUNE !

Quel est ton profil de mangeur ? 51
Le gros bon sens 55
C'est pas sorcier 56
Les aliments DDP : direct dans l'péteux 59
L'effet yoyo 60
Se mettre en forme, c'est pas un sprint mais un marathon.........62
Courir plus pour manger plus ?! 65
Besoin d'énergie pour courir ? 69
2MDB 2ADF 70
Cuisiner ou commander ? 72
Un dîner presque parfait 74
Bouédlo en masse 77

ÇA VA BRASSER

Le dépotoir à calories...83
Toutoune s'en va en guerre contre la cellulite 86
10 bonnes raisons d'aller courir................................ 89
Courir pour bien vieillir 91
T'es pas toé quand t'es à boutte..................................92
Aère ton esprit..96
Parlons des hormones...99
J'ai pas l'temps... 100
Message à la jeune maman 103
10 excuses pour ne pas aller courir............................ 105
La maudite paresse...107
Les REER 108
La balance... oublie-la 110
La positive attitude...113
Quand le cœur n'y est pas 114
T'es capable !...116

ÇA PREND ÇA !

Mon kit de coureuse **121**

Vive les gros bras mous ! 122

Être bien totonnée 124

L'été, y fait chaud 127

L'hiver, y fait frette 128

Dis adieu à tes souliers Pepsi 130

3, 2, 1... LET'S GO !

La préparation 134

L'échauffement : pour partir du bon pied 137

Kametoé 139

Comment brûler plus de calories en marchant 140

La musique, un grand classique 142

Rien ne sert de courir... trop vite 145

Respire ! 147

On peut ben rire de nous autres 148

Courir par tous les temps 150

Après l'effort, le réconfort 153

Les snowbirds 154

Pour aller plus loin 157

Alors, on saute ? 158

Les 10 commandements de Toutoune **161**

Cours, Toutoune, cours ! 162

REMERCIEMENTS **164**

RESSOURCES **167**

Bienvenue
à *Cours Toutoune*

T'as décidé de prendre soin de toi, mais tu sais pas par où commencer ?
Ben, j'ai une super de bonne nouvelle pour toi ! C'est drette là que tu vas pouvoir t'y mettre. Fini les excuses ! On va s'dire les vraies affaires. Je m'adresse à toi, oui, toi là, qui attends un miracle assise sur ton divan, pis qui lâche pour un rien.

Je t'ai préparé 52 chroniques qui vont te faire rire et te botter l'péteux. Ça t'fera un gros bien. Pis, si tu veux vraiment te remettre en forme, dis-toi bien une chose : y en n'aura pas de miracle. C'est pas compliqué pantoute de se prendre en main, mais va falloir y mettre du tien. J'te donne plein de trucs pour t'aider. Chu d'même moé, une vraie conseillère.

Si t'as aimé mes vidéos virales, tu vas adorer ce livre !
Parole de Toutoune.

Pis, t'es pas toute seule. Y'en a d'autres qui attendaient je-ne-sais-quoi pour faire de l'exercice. Pis, elles y sont arrivées. Faque toi aussi, tu vas être capable ! Pour te motiver, j'ai mis dans cet ouvrage quelques-uns des témoignages que j'ai reçus.

Bon *Cours Toutoune* !

Chu qui **moé ?**

Je suis une fille unique. Mes parents m'ont toujours encouragée dans tout ce que je voulais entreprendre dans la vie, et ce, depuis mon plus jeune âge. J'ai toujours pris la vie avec humour, même dans les moments difficiles; ça m'a été d'un grand secours pour m'en sortir.

J'ai la chance d'avoir de la répartie et le sens du comique. Même si j'ai su tirer profit de ce talent que la vie m'a donné, ça ne m'a pas toujours rendu service. À l'école, par exemple, le but ultime de ma journée était de faire rire, quitte à rester en retenue. Mais si j'avais fait rire, ça en avait valu la peine, et Dieu seul sait combien de retenues j'ai reçues ! Les gens ont besoin de rire, c'est pourquoi j'avais tant d'amis... Je n'avais pas de chum, mais j'avais des amis. Ben oui, je n'avais pas beaucoup de chums, car les garçons n'aimaient pas les filles à grosses hanches, rousses avec des picots. Donc à l'adolescence, quand je sortais danser, j'avais plein de garçons autour de moi, car je les faisais rire. Mais quand il y avait les slows, ils partaient tous chercher une belle fille, pis moi, j'me ramassais avec les tickets de manteaux et j'allais les chercher au vestiaire.

Je n'ai pas toujours été toutoune, mais on pouvait voir que j'avais de fortes hanches. Si je ne faisais pas attention, je pouvais facilement prendre du poids. Je bougeais tellement que ça n'est pas arrivé avant que je tombe enceinte à l'âge de 22 ans de mon fils, Carl. J'ai pris beaucoup de poids lors de ma grossesse et, par la suite, je ne l'ai pas perdu, car désormais en couple avec un bébé, ma vie avait changé, et je ne bougeais plus : aucun sport, des soupers entre amis les week-ends et des cochonneries le soir devant la télé.

Malgré mon désir de devenir actrice de théâtre ou comédienne de sitcom, j'ai dû mettre mes rêves de côté et aller sur le marché du travail. Devenue mère célibataire, je devais travailler très fort. Malgré des moments difficiles, j'ai toujours pris la vie avec le sourire et de manière positive. Pendant 15 ans, j'ai travaillé dans une grande entreprise de télécommunication, d'abord à des postes de télé-marketing, puis comme cadre, même si je n'avais qu'un secondaire V. Il faut comprendre une chose, on ne me dit JAMAIS que c'est im-possible, à moi ! Oh que non ! Alors, j'ai fait mon chemin et j'ai prouvé que je pouvais être une très bonne leader. J'ai bien sûr dû suivre plusieurs formations pour pouvoir comprendre le langage des in-génieurs. Malgré le sérieux de mon poste, j'étais quand même une gestionnaire hors-norme, avec un parler très franc, jamais politically correct. Il y avait toujours de l'humour dans mes réunions; c'était la meilleure façon de faire passer les nouvelles, bonnes ou mauvaises.

Un jour, poussée par mes collègues de travail, je décide de m'inscrire à un concours d'humoristes de salon dans le cadre d'une émission de Radio-Canada. Je pense n'avoir aucune chance, mais je finis par en-voyer une cassette (oui, c'était des cassettes en 2002) avec un nu-méro de cinq minutes. À ma grande surprise, je suis dans les finalistes

du concours. La v'là ma chance de vivre mon rêve ! Je fais mon numéro en studio en direct devant un public de 600 personnes, je reçois une ovation debout et je gagne le concours, qui est filmé par les caméras de Radio-Canada. WOW !

Je ne veux plus que ça s'arrête, je veux aller plus loin. Alors je m'inscris à des ateliers de soir à l'École nationale de l'humour. Je fais des petits numéros ici et là. Je fais des apparitions dans des bars et dans des évènements corporatifs... en plus de mon travail de 40 heures par semaine ! Ça dure pendant quelques années, à coup de 50 à 100 dollars le cachet. Je tripe.

En 2004, le Grand Rire de Québec me demande de faire un numéro de huit minutes sur une grande scène extérieure. Je reçois une ovation debout, je suis au septième ciel. En 2006, je fais mon premier gala au Théâtre St-Denis à Montréal. Il est animé par Peter MacLeod. En 2008, je participe au Show des Québécois dans le cadre de Juste pour rire Nantes, en France. Je passe une semaine inoubliable avec Mike Ward, Guy Nantel et Sylvain Larocque. Au total, au fil des années, j'ai participé à 14 galas Grand Rire et Juste pour rire. C'est une grande fierté pour moi.

Arrive l'année 2009. Là, je prends la décision de quitter mon emploi de gestionnaire pour me consacrer à ma carrière d'humoriste avec mon premier one-woman-show. Jean Forand devient mon producteur, François Léveillée devient mon metteur en scène et mon script-éditeur, Jean-Christian Thibodeau et Julien Pelletier retouchent mes textes. On part en tournée ! De 2010 à 2013, je fais le tour des salles, mais, autant mon rêve se réalise, autant je vis les moments les plus difficiles de ma vie. N'étant pas connue, et même si mon show est très bon, je n'ai pas toujours beaucoup de spectateurs dans mes salles, car les gens ne savent pas du tout qui je suis. Je ne fais pas d'argent, je vends ma maison, me sépare de mon conjoint, me loue un condo... bref, je fais beaucoup de sacrifices pour continuer à rouler ma bosse.

J'ai un fils qui grandit pendant ce temps et qui a besoin de moi, il se dirige vers l'université, et ça coûte très cher. Je dois alors prendre une nouvelle décision. Je retourne donc à mes anciennes amours : gestionnaire, mais cette fois dans un gros cabinet d'assurance. De cette façon, je peux dormir sur mes deux oreilles, mais pas question que je lâche l'humour. Je décide donc de travailler seule, sans gérant, sans producteur, et de démarrer ma propre compagnie d'évènements. Tout va super bien, je fais beaucoup de spectacles dans les entreprises, des collectes de fonds, des festivals, etc. Je combine le travail le jour et les spectacles le soir.

Entre-temps, mon fils est recruté par le Vert & Or, l'équipe de football de l'Université de Sherbrooke, et il part de chez nous. Je suis maintenant seule. Pour évacuer le stress, je me mets à la marche. J'adore marcher avec ma musique et mon chien. Je marche tous les jours, j'en ai besoin, c'est une drogue. J'ai quand même une cinquantaine de livres en trop, mais difficile de les perdre ! Il faut dire aussi que je ne m'aide pas : chips, vin, grosses assiettes de bouffe, et en plus, je me ressers deux fois. Bref, je n'aime pas mon poids, mais je ne me sens pas assez brave pour faire les sacrifices qu'il faut pour en perdre. Pendant environ trois ans, je fais un entraînement de boxe que je combine avec toute sorte de régimes, de Weight Watchers aux protéines en passant par Mince à vie. Je perds, je reprends, reperds, reprends... Je finis par laisser tomber la boxe même si j'adore ça, car je n'aime pas avoir un horaire fixe pour faire des loisirs.

Je me mets à écouter l'émission *Cours toujours,* animée par Dominic Arpin et diffusée sur MAtv. Elle s'adresse aussi bien aux coureurs amateurs qu'aux marathoniens. Il y a des séquences dans lesquelles des gens se filment tout en courant et montrent aux téléspectateurs les endroits où ils pratiquent leur course. Il y a aussi des entrevues d'artistes que fait Dominic Arpin tout en courant. La dernière séquence de chaque émission est consacrée aux personnes ordinaires qui courent et qui, tout comme moi, ne croyaient pas en être capables avant d'essayer. Ben oui, j'ai déjà eu l'impression que je ne pourrais jamais courir. Pour moi, commencer à courir à 45 ans était impossible.

Soudainement, j'ai comme le goût de courir. Je visionne donc en rafale toutes les émissions de *Cours toujours,* et ce, plus d'une fois. J'écoute tous les conseils donnés par les pros, de la posture aux souliers de course en passant par l'alimentation. Mars 2015, je prends mon cellulaire et j'y mets une application de premier coureur qui donne le signal quand courir et quand marcher. La première fois que je cours, je ne fais que 30 secondes et je suis brûlée. Comment je vais faire ? Mais, je me dis que tout le monde a commencé de cette façon... Pas vrai que je vais lâcher. En quelques semaines, je fais mon premier cinq kilomètres. En août, je fais mon premier dix kilomètres par intervalles ! Un exploit ! Je partais de loin !

Aujourd'hui, je travaille à temps plein, je fais des spectacles partout dans la province, je marche tous les jours, je cours deux fois par semaine, j'ai changé mon alimentation, je ne manque presque aucune partie de football de mon fils et je fais des Cours Toutoune de gang les week-ends. Au moment où je vous écris ces lignes, je suis passée de la grandeur 16 à 12 !

C'est qui
la toutoune?

Au début, la toutoune, c'était moi! Pour intituler mes capsules vidéo, *Cours Toutoune* était ce qui se rapprochait le plus de *Cours toujours.* Mais la toutoune en question, c'était moi.

Au fil du temps et des vidéos, la toutoune est devenue la dame qui a du poids à perdre, la femme mince qui n'est pas en forme, l'homme bedonnant qui veut se prendre en main, la jeune fumeuse qui désire se remettre en forme, la femme qui n'a pas de temps pour elle. Bref, la toutoune n'a maintenant rien à voir avec le poids ou l'apparence physique. C'est devenu un mot d'amour drôle et cute qui indique que si on prend la vie avec humour, tout va aller mieux!

Le parcours de
Cours Toutoune

Je n'y crois pas encore, quelle belle aventure que *Cours Toutoune* !

Lors d'une de mes sorties, une belle journée de mai 2015, j'ai l'idée de faire une parodie de l'émission *Cours toujours.* Sans réfléchir et sans aucune préparation, je prends mon cellulaire et je me filme en courant. J'y mentionne que je fais cette capsule moi-même, car je ne suis pas assez connue pour être invitée à mon émission préférée. C'est la première capsule de *Cours Toutoune* ! Elle est visionnée, commentée et partagée par des dizaines de personnes sur Internet.

En voyant l'effet que cette vidéo produit, je décide d'en faire une autre, puis une autre, et ainsi de suite. Mes petits clips consistent à dire aux gens de se prendre en main, d'arrêter d'être gênés et de se trouver des excuses pour ne pas bouger ! Dans mes capsules, je dois avouer que je suis brutalement honnête, mais je mets toujours une touche humoristique, et surtout, je ne me prends nullement au sérieux.

Au cours de l'été, mes vidéos sont partagées sur le site Internet lebiscuitchinois.com, qui est suivi par plusieurs milliers de personnes. Le phénomène *Cours Toutoune* est lancé ! Je n'ai plus le choix, il me faut une page Facebook ! En moins de 15 jours, je franchis le cap des 40 000 fans ! Je décide alors de créer le site courstoutoune.com.

À ma grande surprise, je reçois des demandes d'entrevue dans des chaînes de radio, de télévision et dans des journaux. Je crois rêver ! Tout ça se passe très vite, je ne comprends pas trop ce qui se passe. Je reçois des tonnes de messages me remerciant d'être aussi inspirante et motivante !

Un jour, je reçois un courriel de l'équipe de *Cours toujours* m'invitant à leur émission ! Moi, Geneviève Gagnon, à l'émission que j'écoute assidûment et qui me motive à me mettre en forme ? C'est incroyable ! Le tournage de la séquence (Le portrait inspirant d'une coureuse) a lieu le 3 août, une date mémorable pour moi.

L'idée me vient rapidement de faire un Cours Toutoune de gang. Je propose donc à mes followers de nous réunir à la bonne franquette et de faire un dix kilomètres sur le bord du canal de Chambly, chacun à son rythme, en marchant ou en courant. Nous sommes sept personnes à cette première sortie. Je refais l'évènement et cette fois-ci, nous sommes 19. La troisième fois, nous sommes 49, et ce, jusqu'à plus de 350 personnes. Lors de ces sorties, je reçois des témoignages touchants comme : « C'est la première fois que je sors dehors courir ou marcher, car je suis trop gênée de mon corps », « Merci de m'encourager à me dépasser, je n'avais jamais fait une si longue distance, je suis tellement fière de moi ! »

À la suite de ces sorties de groupe, je reçois des demandes de nombreuses villes, même de la Côte-Nord et de la Gaspésie. En septembre, je profite de mon passage dans les studios de *Salut, Bonjour! Week-end* pour lancer mon premier Cours Toutoune part en tournée. Plus de 50 personnes répondent à mon invitation ! Le lendemain, je donne un rendez-vous aux toutounes de Rimouski. Le mois suivant, je participe à la Grande marche du Grand défi Pierre Lavoie, entourée d'une centaine de followers.

C'est officiel, *Cours Toutoune* est devenu un véritable phénomène qui encourage des milliers de personnes à faire de l'activité physique !

Je dois donc continuer à faire avancer *Cours Toutoune*. Et pourquoi ne pas écrire un livre d'humour sur la course à pied qui reprendrait des extraits de mes vidéos ? Hé bien, c'est fait ! Le voici.

Je vous remercie pour vos encouragements et je vous souhaite une bonne lecture.

Pogo, mon fidèle compagnon

Il faut absolument que je vous parle de mon fidèle compagnon, Pogo !

Pogo est un Teckel (chien saucisse) né le 14 juillet 2008. Je le voulais depuis des années et je me suis décidée à aller le chercher un beau mois de septembre 2008. Depuis qu'il a huit semaines, Pogo fait partie de ma vie. Il est mon confident, mon ami, bref, un être dont je ne peux me passer. Depuis qu'il est jeune, je lui fais suivre un programme alimentaire sévère afin qu'il ne devienne pas obèse et qu'il puisse avoir une longue vie en bonne santé.

Pogo me suit presque partout. Il court dix kilomètres avec moi, il me suit même en montagne, l'hiver, dans les gros froids. J'ai une petite poche en fourrure dans laquelle je l'installe, comme ça, il est toujours avec moi.

Avoir un chien, ça vous donne la motivation de sortir tous les jours, car quand on aime son animal, on lui fait prendre l'air tous les jours et on lui fait faire de l'exercice !

Arrête
de tourner en rond

Si tu penses que tu vas perdre du poids sans faire le moindre effort, tu crois au miracle.

Si tu t'imagines que ton surpoids ne nuit pas à ta santé, tu as tort.

Si tu penses que c'est trop tard pour te prendre en main, tu t'trompes.

Si tu t'trouves toujours des excuses, tu t'mens à toi-même.

Si tu te dis que t'es pas capable, c'est qu'en réalité, t'as peur d'essayer.

Si t'as déjà tout essayé pour perdre du poids, pis que t'en as pris, il est temps de changer tes habitudes.

Si tu t'sens enfin prête à faire des efforts pour retrouver la forme, j'te félicite. C'est maintenant que ça se passe.

Il est temps pour toi de commencer à prendre soin de c'qui compte vraiment : ton bien-être. Pis si tu veux y arriver, commence par bien vivre. Ça s'fera pas du jour au lendemain, nenon! Mais l'important, c'est de se sentir un peu mieux chaque jour et pour longtemps. ●

Y en n'a pas de **miracle !**

On me demande souvent quel est mon secret pour perdre du poids. Ben, tu sais quoi ? Y EN N'A PAS DE MIRACLE ! C'est-tu assez clair, ça ? Si tu veux vraiment perdre du poids, ben tu dois faire des efforts. Ça marche de même et pas autrement.

Commence par te servir des portions raisonnables, mange plus de légumes et plus de fruits, secoue-toi les fesses, pis bouédlo.

J'te dis pas de commencer à faire ton épicerie dans une pépinière et de te nourrir uniquement de salades vertes sans goût qui te donnent l'impression d'avoir vidé ton sac de gazon dans ton assiette. Ce que je veux t'dire, c'est : fini la malbouffe, tsé la junk food, le sucre et la graisse, qui t'apportent des calories en masse, mais pas beaucoup d'énergie, faque pour te sentir pleine, t'en manges à t'faire exploser la bedaine.

C'est pas en grignotant des p'tites barres qui ne goûtent rien ni en remplaçant mes repas par des shakes que j'ai perdu du poids. Nenon, parce que moi, j'aime ben le principe de mâcher dans ma bouche et d'ingurgiter de la bouffe ! Checke ben ça, une p'tite poitrine de poulet, une bonne portion de légumes... Chu d'même moé, un vrai cordon bleu ! Pis des fois, je me lâche un peu plus lousse sur le riz ou j'croque dans une pomme.

Pis pour perdre du poids, j'bouédlo, beaucoup d'eau. J'te conseille de boire au moins deux litres par jour, parce que ça ne paraît pas comme ça, mais l'eau, elle va t'remplir l'estomac... pas les cuisses ! Pis boire beaucoup, ça aide le corps à éliminer, surtout quand tu fais de l'exercice. ●

Miroir,
mon **beau** miroir

On s'entend-tu pour dire qu'on a au moins une pensée par jour à propos de notre poids en trop et sur le fait qu'il faudrait bien qu'on le perde : en s'habillant le matin, en passant devant un miroir, en montant un escalier, en faisant l'amour ? L'idée d'avoir des livres en trop, quel que soit le poids qu'on aurait besoin de perdre, devient vite une obsession. Ça nous rend frustrés et pas toujours de bonne compagnie.

Quand on est une femme, c'est encore pire ! Parce que c'est donc ben rare qu'une femme soit satisfaite de son poids. On a beau nous dire qu'on est parfaites, nous autres, c'est pas pantoute ce qu'on se dit ! Pis on cherche toujours à se cacher avec des chandails lousses qui, en passant, ne cachent rien et qui, la plupart du temps, nous rendent encore plus énormes.

Y'a tellement de choses dans la vie qui nous rendent frues et sur lesquelles on n'a aucun contrôle !

Tiens, par exemple : la météo, un imprévu sur la route, une panne de courant, une épidémie de grippe... En plus de toutes ces maudites affaires-là, t'as-tu vraiment besoin de te laisser frustrer par des choses sur lesquelles t'es la seule à avoir le contrôle ? Pis tu vas voir où je veux en venir dans moins d'une seconde... Ton poids ! Ben oui, ton poids, c'est justement toi et rien que toi qui as le fameux contrôle dessus ! ●

Bien dans sa peau,
mieux dans son corps

On peut être potelée et se sentir bien ! Regarde-moi, j'ai longtemps eu des formes généreuses, mais je me suis toujours sentie en forme et pleine d'énergie. En partant, je prends la vie du bon côté, je ne m'apitoie pas sur mon sort et je cherche des solutions quand y'a un truc qui m'chicote, ce qui fait de moi une personne avec une belle énergie même si j'ai des livres en trop.

**On peut décider de se mettre au sport,
sans pour autant vouloir maigrir à tout prix.**

Moi, par exemple, quand j'ai commencé à marcher et à courir, je ne visais pas obligatoirement le bikini et la jupette. Oui, j'ai décidé de me mettre à courir pour ma santé, mais au départ, c'était surtout pour avoir un bon cardio pour mes spectacles. Je n'aime pas entendre un humoriste à bout de souffle dans son micro, parce que ça casse la blague.

Par la même occasion, me bouger l'péteux, ça m'a permis de perdre un peu de poids. Mais là, on d'viendra pas fou, je ne serai jamais une « 120 livres » même si j'fais 5'3", pis je ne crois pas que ça me tente non plus. On peut s'aimer potelée. Pour moi, une taille 12, c'est ben correct. Tout est dans l'attitude. **J'ai toujours visé l'acceptation de soi.**

Pis checke ben ça, comme ça arrête pas, les bonnes nouvelles ! En plus de te permettre de brûler des calories et d'être en meilleure santé, bouger contribue aussi à la bonne humeur. Ça permet d'avoir une belle estime de soi, un sommeil réparateur et une meilleure mémoire !

Dicton Gagnon : Si tu commences à bouger, tu chercheras plus tes clés ! ●

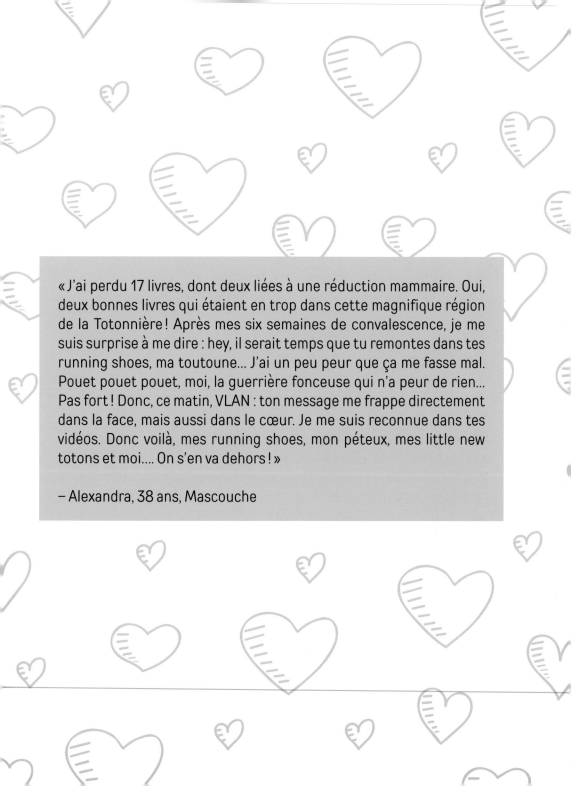

«J'ai perdu 17 livres, dont deux liées à une réduction mammaire. Oui, deux bonnes livres qui étaient en trop dans cette magnifique région de la Totonnière! Après mes six semaines de convalescence, je me suis surprise à me dire : hey, il serait temps que tu remontes dans tes running shoes, ma toutoune... J'ai un peu peur que ça me fasse mal. Pouet pouet pouet, moi, la guerrière fonceuse qui n'a peur de rien... Pas fort! Donc, ce matin, VLAN : ton message me frappe directement dans la face, mais aussi dans le cœur. Je me suis reconnue dans tes vidéos. Donc voilà, mes running shoes, mon péteux, mes little new totons et moi.... On s'en va dehors!»

– Alexandra, 38 ans, Mascouche

C'est **drette là** que ça se passe

Quand j'entends certaines personnes dire « j'ai décidé de me prendre en main, mais je vais commencer après le temps des fêtes ! », j'capote ! C'est pas un camp de concentration que tu t'en vas faire, c'est de te remettre en santé, bout d'ciarge.

Y en n'aura jamais de moment parfait pour te lancer... tu l'sais, ça. Faque, arrête de te chercher des excuses !

Attendre le bon moment, c'est se condamner à ne jamais rien faire. Checke ben ça : « Je vais commencer quand la Saint-Valentin va être passée », « oups, je vais attendre après Pâques », « oups, j'vais m'y mettre en septembre, parce que l'été, y'a le camping, les barbecues, la sangria, les terrasses... ce sera ben d'trop difficile », « oups, je vais attendre que les p'tits aillent à l'école », « oups, je vais commencer après l'Halloween »... **pis ben là, ça fait déjà un an que tu remets ça !** Honnêtement, ça fait combien d'années que tu dis que tu vas bientôt commencer à te prendre en main ? Pis, à l'époque, tu pesais combien de livres de moins qu'aujourd'hui ?

J'vais t'annoncer une super de bonne nouvelle : c'est toujours le bon moment pour commencer à se faire du bien, pis c'est jamais trop tard. Donc, c'est drette là que tu commences… ouais, la prochaine fois que tu vas à l'épicerie ! Tu mets plus de légumes pis de bons fruits dans ton panier. Tu continues à t'acheter du riz, mais tu te calmes sur les portions. T'oublies pas d'acheter des p'tites patates, pis t'oublieras pas non plus d'en mettre moins dans ton assiette.

Pis comme on n'arrête pas le changement, tu vas pas attendre je-ne-sais-quand ni je-ne-sais-quoi pour te mettre à faire de l'exercice. **Envoye, let's go !** ●

Le plus dur,
c'est de s'y mettre

Tu t'sens comme une baleine qui a avalé un éléphant ? Tu te subis plus que tu te supportes ? Ton péteux te suit comme ton ombre partout où tu vas et tu voudrais demander le divorce ? Bon, il est temps de prendre les choses en main. C'est sûr que la baleine ne va pas devenir une p'tite sirène, mais j'vais t'dire que tu peux changer pas mal de choses, pis que t'as besoin de personne pour ça.

Le plus dur, c'est de s'y mettre. Mais je te garantis que quand tu vas commencer à te sentir mieux, rien qu'en modifiant ton alimentation et en faisant de l'exercice trois fois par semaine, tu seras ben motivée comme il faut pour continuer. Laisse-toi du temps et ne passe pas d'un extrême à l'autre. Change progressivement... et durablement. C'est là, la clé ! Chu d'même moé, j'ouvre des portes ! À toi de décider si tu veux sortir de d'là !

« J'ai commencé le gym seule... une alimentation équilibrée, seule... 30 minutes de cardio aux deux jours, seule... Hé bien, j'ai perdu 6 livres, j'ai gagné des amis... et un entraîneur super ! »

– Marie-Claude, 48 ans, Tracadie-Sheila

«Je suis urgentologue en Beauce. Je vois tous les jours des gens poqués qui aimeraient pouvoir faire de l'exercice. J'en vois aussi des moins poqués qui se promènent avec une cigarette et un beigne à la main, qui croient être des victimes et qui se dirigent droit dans le mur. Ben, crois-le ou non, j'ai commencé, aujourd'hui même, à parler de *Cours Toutoune* à des patientes qui se pensent finies et qui n'ont même pas essayé de marcher! Ça fait 13 ans que je suis aux urgences. Ça fait 13 ans que je fais mon speech sur l'exercice quotidiennement. J'ai enfin quelque chose de concret et de visuel à proposer, et qui fitte exactement avec mon discours du "Just do it". Je sais que ça en a inspiré au moins une cette semaine. C'est un début!»

– Sandra, 41 ans, Saint-Georges

C'est sûr que ça peut te paraître un peu contraignant au début parce que des efforts, tu vas devoir en faire. Mais la liberté, ce n'est pas de manger ce qu'on veut quand on veut, c'est de décider ce qu'on veut s'offrir : du plaisir dans la bouche – pas plaisant pantoute dans les fesses – ou bien de l'énergie pour pouvoir aller brûler des calories?

Pis, dis-toi que quand tu vas aller prendre une marche ou courir, c'est toi qui auras encore une fois le contrôle. Tu pourras aller où tu voudras, au rythme que tu décideras, vers l'est, l'ouest, le sud ou le nord! Moi, j'appelle ça la liberté!

Plus tu vas courir, plus tu vas t'sentir pousser des ailes! Parole de Toutoune! ●

Une question
d'habitude

On s'en dit ben des affaires pour se convaincre que c'est pas de notre faute si on est un peu toutoune : «j'ai de gros os», «on est tous en surpoids dans la famille», «j'mange bien pourtant... j'te le jure... j'comprends pas». Pis toi, la maman, arrête de dire que c'est ton restant de grossesse... surtout quand ça fait 20 ans que t'as accouché.

Bref, c'est fini le temps des excuses. Si t'es motivée pour te prendre en main, il va falloir changer tes habitudes. Ça tombe bien, j'en ai quelques-unes pour toi !

> Fais le ménage dans tes armoires de cuisine. **Fini la malbouffe.**

> **Ne sors jamais de chez vous avec un p'tit creux.** Ça va s'finir au dépanneur, et en un rien de temps, t'auras sacré un paquet de chips direct dans ton péteux.

> **Planifie ce que tu vas manger dans la semaine** avant d'aller faire ton épicerie et fais-toi une liste. Comme ça, t'auras pas besoin de passer en revue tous les produits, pis tu vas pas succomber à la tentation. Oublie les rangées des chips et du Pepsi. T'as rien à faire là.

> Apprends à te cuisiner **des plats santé.**

> **Prends le temps de t'asseoir pour manger** plutôt que d'enfiler n'importe quoi debout devant la porte du frigo ou sur le bord du comptoir de cuisine. C'est pas un crime de (bien) manger, bout d'ciarge !

> **Sers-toi des plus petites portions** et va manger à table. Si t'as encore faim après ta première assiette, tu seras libre de te relever pour te resservir ou pour aller chercher un fruit.

> Garde toujours **une bouteille d'eau** à portée de main.

> Passe tes rages de sucre **avec un fruit.**

> **Ne confonds pas le sentiment de la faim avec celui de la soif.** Quand t'as envie de grignoter, commence par boire de l'eau pis attends un peu.

> **Cours, Toutoune !** Mais là, j'te dis pas d'aller courir un marathon toutes les fins de semaine... non, juste de commencer par prendre des p'tites marches, pis d'accélérer le pas. Quand tu pourras, tu t'mettras à trotter... toujours un peu plus et un peu plus longtemps... mais, une étape à la fois.

> **Bouge autant que tu peux tout au long de la journée.** Tiens, si tu prenais l'escalier plutôt que l'ascenseur !

> N'envisage plus **jamais** d'essayer de perdre des livres en moins de temps qu'il t'en faudrait pour les prendre !

Pis, tant qu'on y est, retiens une dernière chose : au lieu de te trouver des excuses à tout bout de champ, cherche donc des solutions. ●

« Pour moi, *Cours Toutoune,* ce n'est pas juste de la course ! Honnê-tement, ton attitude, ta façon de penser…, ça a changé ma vie, car je l'intègre dans tous les domaines de ma vie : dans mes relations, l'école, les enfants. Pour moi, *Cours Toutoune,* ça veut dire banaliser ce qui m'arrive dans la vie, peu importe quoi… simplement faire de mon mieux, que ce soit la marche ou les jours où je manque de confiance en moi. J'ai le droit de vivre, pis oui, j'ai le droit de retourner à l'école à 35 ans. Ben oui, je suis monoparentale avec deux petites blondinettes. So what ? Sur ce, au gros frette, je m'en vais chercher du lait à pied. Ben oui, mon char, il est bien où c'qu'il est ! »

– Suzy, 35 ans, Beauport

MEUH !

À TABLE, TOUTOUNE !

Quel est ton **profil de mangeur?**

Tu manges quand t'es stressée? quand t'es en beau joual vert? quand tu brailles? quand tu ris? Ben là! Commence par comprendre pourquoi et comment tu te remplis la bedaine si tu veux régler ton problème.

LE MANGEUR NAÏF

Tout comme moi, t'as entendu parler du régime de sept jours où tu ne manges que de la soupe au chou, pis rien d'autre... tsé, ce genre de régime où tu coupes drastiquement tout c'que t'aimes. Si t'y as cru et que tu l'as fait, alors tu es un mangeur naïf qui croit aux miracles!

Mon conseil : Mange des portions équilibrées et ne te prive de rien. Tout est dans la quantité et le gros bon sens.

LE MANGEUR ÉMOTIONNEL

Si tout comme moi, la bouffe te réconforte quand tu es stressé, quand tu en as ras l'pompon ou quand tu veux refouler certaines émotions, tu es définitivement un mangeur émotionnel.

Mon conseil : Kametoué! Au lieu de prendre une bouchée de sucre, prends donc une bouffée d'air!

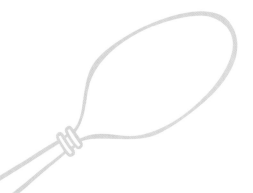

LE MANGEUR INCONSCIENT

Tu sautes des repas en te disant « si j'mange pas, j'vais maigrir », pis tu grignotes à tout bout de champ pis tu manges juste parce que t'as de la bouffe à ta portée. Ben là, ça va pas ben. À la fin de la journée, tu n'as aucune idée de la quantité de nourriture que tu as pu mettre dans ton estomac et du nombre incalculable de calories que tu as données à ton corps. T'es définitivement un mangeur inconscient !

Mon conseil : Prends conscience de ce que tu manges et écoute ta faim, car plus souvent qu'autrement, tu es rassasié.

LE MANGEUR SOCIAL

Manger à l'extérieur est ton activité préférée ? Tu ne sais pas dire « non » quand on t'offre de la bouffe ? Tu n'es pas capable de demander qu'on te serve une petite assiette quand tu es invité à souper ? Quand tu regardes le menu, tu es du style à changer d'idée en fonction du choix de ton ami ? Si tu te reconnais dans ces situations, tu es un mangeur social.

Mon conseil : Donne l'exemple au resto plutôt que de copier les autres. Apprends à dire « non » pour toi. Pis, fais-toi des lunchs pour aller au travail. ●

Le **gros** bon sens

Toi qui veux perdre du gras des hanches, des cuisses, des bras, du cou (oui, y'en a qui ont du gras dans le cou), pis aussi d'la bedaine... arrête de dépenser ton argent dans toutes sortes de patentes que tu penses que ça va faire des miracles, pis qui souvent te coûtent la peau des fesses... bon ok, mauvais choix de mots dans le contexte.

Entre toi et moi, as-tu vraiment besoin de payer quelqu'un pour te faire dire qu'il faut que tu diminues tes portions, qu'il faut que tu manges plus de légumes et de fruits, que tu dois aussi prendre des produits laitiers pour tes os, pis toutes ces patentes-là? **On l'sait toutes ce qu'il faut faire...** Tu l'sais c'est quoi le programme que j'te conseille pour partir du bon pied? C'est LE GROS BON SENS.

Pis, t'es pas obligée non plus d'aller dans des réunions où tu fais la file une fois par semaine pour la pesée du bétail, où tu t'assois en cercle pour faire un rond de joufflues anonymes et jaser de tes problèmes et des nouvelles épices que tu mets avec tes légumes. C'est correct si ça marche pour certaines, mais moi j'préfère mettre mon argent de côté, pis m'payer un beau costume de bain!

Garde tes sous ou arrête de dire que tu n'as pas assez d'argent pour prendre soin de toi. **Mange mieux et lève-toi l'péteux.** Mets tes running-tchou, pis va t'promener. Marche assez vite pour augmenter tes pulsations cardiaques, pis ça va t'faire brûler des calories. ●

C'est pas
sorcier

Plutôt que de perdre ton temps à lire toutes sortes de livres, de magazines et de forum sur Internet, tu ferais bien de t'y mettre. N'essaie pas toutes sortes de niaiseries de stars... tsé, du genre la dernière méthode à la mode que tu penses que pour toi aussi, ça va révolutionner ta vie. Arrête de faire ton cinéma.

C'est sûr qu'il y a des endroits où tu vas entendre qu'il ne faut pas manger de raisins si tu veux perdre du poids, parce que ça contient du sucre, pis qu'il faut éviter l'avocat, parce que c'est trop gras. Ben voyons donc! **As-tu déjà entendu quelqu'un te dire qu'il ne rentre plus dans un banc de cinéma parce qu'il a abusé de raisins?** Moi, j'aime ça les raisins, faque j'en mange, pis même chose pour l'avocat!

«Je suis maintenant motivée à changer mes habitudes de vie et à aller marcher et courir moi aussi! La nuit, je rêve que je cours... et j'ai décidé de le réaliser, mon rêve! Je pèse présentement 283 livres et j'en ai assez. J'ai décidé de m'aimer, de prendre soin de moi. Alors, ce samedi matin, je me lève, je déjeune, je mets mes leggings lol et mes running shoes, et je vais dehors avec ma chienne, Bella. Je suis fière de moi!»

– Julie, 31 ans, Terrebonne

Checke ben ça, je t'ai fait une p'tite liste de bonnes habitudes à prendre si tu veux être en bonne santé. J'sais ben qu'y a pas de quoi faire un buzz avec ces affaires-là, mais le but, c'est juste que tu prennes soin de toi.

> Prends **trois repas par jour** et mange suffisamment pour avoir de l'énergie.

> Ne saute **jamais** un repas.

> Prends deux ou trois **collations** pour éviter d'arriver affamé au repas suivant.

> Mange des protéines et beaucoup de **fruits et de légumes** à chaque repas.

> **Évite la junk food,** les pâtisseries et les sucreries… en tout temps.

> **Bois beaucoup d'eau** tout au long de la journée.

> Fais de l'exercice **régulièrement.**

Bon, c'est sûr que ce n'est pas parce qu'il n'y a rien de sorcier là-dedans que ça va être facile. Ça prend de la motivation et aussi de la patience.

Une dernière chose : moi, je me dis souvent que tout l'monde sait ce qu'il faut faire pour être en bonne santé, pis étrangement, il n'y a que ceux qui sont en forme qui le font. Ça t'fait pas réfléchir, ça ? ●

« Ben voilà, j'ai pu d'excuses ! Pour la première fois en 15 ans, tu me donnes le goût de me reprendre en main ! Déjà 15 livres de perdues en faisant attention à la bouffe qui tombe dans le péteux ! Bon, c'est un départ pour moi ! »

– Erika, 36 ans, Lévis

Les aliments DDP :
direct dans l'péteux

As-tu vraiment besoin que j'te fournisse une liste d'aliments DDP... DIRECT DANS L'PÉTEUX ?

Tu l'sais ben ce qu'il y a sur cette liste : des chips, des frites, des beignes, etcétéra. Faque, écoute-moi ben comme il faut... J'vais t'dire une bonne chose : **TOUCHE PAS À ÇA, pis va faire de l'exercice !** C'est-tu assez clair, ça ?

Tsé, y'a des gens qui sont allergiques aux fruits de mer. Dès qu'ils en mangent, ils ont la gorge qui se met aussitôt à gonfler comme ç'a pas de bon sens. Ben toi, ce sont tes fesses qui gonflent à retardement quand tu manges des aliments DDP.

Si t'étais allergique aux fruits de mer, t'en mangerais-tu ? J'imagine que non. Ben avec les aliments DDP, c'est pareil... T'en manges pu ! Fin de la discussion. ●

L'effet **yoyo**

Lorsqu'on décide de se prendre en main, on aimerait ça que ça se fasse vite... on veut perdre 10 livres en une semaine. J'ai-tu vraiment besoin de te dire que ça marche pas de même?

Si tu te mets à manger de la poudre, tsé les fameuses protéines en poudre, ben c'est sûr que tu vas fondre... c'est d'la poudre! Dis-toi ben une chose : si tu fais ce régime-là, dès que tu vas te remettre à manger de la vraie bouffe, ton corps va se faire un solide party. Il va avoir été tellement traumatisé avec tes fameuses poudres miracles qu'il va tout garder pour faire des réserves. Et là, tu vas reprendre tes livres en un temps record... pis, j'te dirais même que tu vas dépasser le poids que tu avais au départ!

Dis-toi ben que d'essayer de perdre 10 livres en une semaine, c'est la meilleure chose à faire si tu veux PRENDRE du poids!

L'effet yoyo, ça t'dit-tu quequ'chose? Ben c'est exactement de même que ça marche. Pis dis-toi aussi que plus tu vas maigrir vite, plus tu vas en avoir, des livres en plus! Ça te tente-tu toujours de vouloir en perdre en masse?

Faque, oublie les régimes aux promesses incroyables et retiens ça : Y en n'aura pas de miracle! Fais des efforts, lâche pas et vas-y une livre à la fois. Mange moins, mais ne te prive pas du jour au lendemain et ne saute jamais de repas. ●

« C'est aujourd'hui à 34 ans que je termine le combat de ma vie : le poids ! Grâce à *Cours Toutoune*, j'ai pris conscience de la vraie vie. Je vais mettre mes souliers et aller marcher. J'étais une de ces personnes qui attendent en ligne pour savoir si elles ont perdu ou pris une livre. Fini ! C'est chose du passé. Maintenant, je garde cet argent-là pour m'acheter des vêtements de sport adaptés à mon corps ! »

– Isabelle, 34 ans, Saint-Jean-sur-Richelieu

Se mettre en forme, c'est pas un sprint mais **un marathon**

Dans ta décision de te prendre en main – pour laquelle je te félicite, soit dit en passant –, tu es toute seule... à moins que tu aies décidé de participer à des ronds de joufflues anonymes, pis c'est ton choix, et je le respecte. Quand je dis que t'es toute seule, je veux te faire comprendre que tu n'as rien à prouver à personne, que tu n'es pas dans une course à celle qui arrivera à son poids santé la première.

Trouve ton rythme de bonnes actions pour toi-même !

Fais régulièrement un p'tit effort de plus que la veille. Pis trouve-toi des trucs pour rester motivée et prendre du plaisir ailleurs que dans la bouffe. Ben, que dirais-tu par exemple de te faire une p'tite manucure pendant que tu regardes la télé. C'est plutôt plaisant, avoue ! Pis c'est ben meilleur pour ta santé que de te gaver de cochonneries.

Ça n'a pas d'importance, le nombre de pouces que tu vas perdre autour de ta taille cette semaine. C'qui compte, c'est que tu ne te sentes pas frue et que tu te fasses plaisir. C'est de même que tu pourras conserver tes nouvelles habitudes et dire définitivement adieu à ton ancienne garde-robe.

Plutôt que de te concentrer sur les choses dont tu te prives, imagine plutôt celles que tu vas avoir... tsé, la satisfaction personnelle, le sentiment d'estime de soi, la confiance en soi, p'tite victoire après p'tite victoire, livre après livre, pis ta future nouvelle p'tite jupette !

Intégrer durablement de nouvelles habitudes dans son quotidien, ça prend 21 jours. Faque lâche pas à la première tentation ou à la première excuse trouvée ! ●

Courir plus pour **manger plus?!**

Ne va surtout pas augmenter tes portions en te disant que t'as le droit, parce que t'as fait du sport... pis que, parce que t'as fait du sport, t'as ben mérité une p'tite récompense! Courir plus pour manger plus, c'est pas un dicton Gagnon pantoute.

Tu crois vraiment que toute la graisse et le sucre que tu viens de manger, ça va partir de même? Dis-toi ben une chose : va falloir que tu coures pendant 26 minutes à 10 km/h pour éliminer ta portion de frites si tu veux pas qu'elle finisse drette dans ton péteux! Ça vaut-tu vraiment la peine? Pis, cerise sur le sundae, si tu comptes aussi le hamburger que t'as pris sans condiments pour te donner bonne conscience, va falloir que t'ajoutes 32 minutes de course. Pis si t'as pas le goût de courir parce que t'as de la misère à digérer, ben il va falloir que tu marches pendant 1 heure et quart pour tes frites et 1 heure et demie pour ton hamburger.

Ah oui, j'oubliais... Quand il y a le mot salade dans ton choix, ça veut pas dire que c'est pas calorique! Tsé, une salade César... OUBLIE ÇA, c'est pire qu'un Big Mac!

Fini la malbouffe! Mange moins et dépense-toi plus.

Y'a rien de sorcier là-dedans, bout d'ciarge. Bon, j'me répète d'une page à l'autre, mais c'est pour que ton cerveau l'enregistre solide! Chu d'même moé, un vrai gourou! ●

Checke ben le temps que ça va t'prendre pour éliminer toutes les calories !

UN BISCUIT AU CHOCOLAT
23 minutes de marche **ou 8 minutes** de jogging

UNE BARRE DE CHOCOLAT (60 g)
60 minutes de marche **ou 21 minutes** de jogging

UNE FRITE MOYENNE
1 heure 15 minutes de marche
ou 26 minutes de jogging

UN HAMBURGER
SANS CONDIMENTS
1 heure 30 minutes de marche
ou 32 minutes de jogging

UN BEIGNE NATURE (70 g)
57 minutes de marche **ou 20 minutes** de jogging

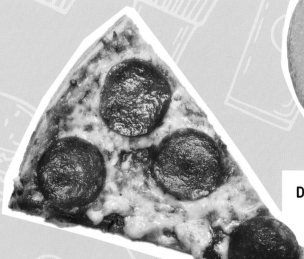

DEUX POINTES DE PIZZA
2 heures de marche
ou 54 minutes de jogging

Marche à 5 km/h, jogging à 10 km/h pour une personne de 75 kg (165 lb)
Source : www.weightloss.com

Besoin d'énergie
pour courir?

C'est pas vrai que s'entraîner le ventre vide aide à brûler plus de gras. L'idéal est de manger un p'tit quequ'chose avant l'entraînement. Comme ça, tu donnes à ton corps assez d'énergie pour ne pas te sentir mal – c'qui pourrait te donner rapidement l'envie de faire demi-tour... et ça, c'est une mauvaise idée !

Si tu as de l'énergie, tu vas avoir un rythme plus soutenu, pis tu vas faire plus d'efforts. Tu me suis ? Si tu fais monter tes pulsations, ben tu vas brûler plus de calories, pis ça, c'est bon si tu veux perdre du poids !

Environ une heure avant de sortir marcher ou courir, prends donc une p'tite collation faible en gras qui va te donner de l'énergie, comme une banane ou un yogourt aux fruits, pis bouédlo.

Quand tu cours, bouédlo par petites gorgées, surtout si t'as chaud et que ta camisole est mouillée.

Pis quand t'as fini, y'a encore un truc ben important. Dans les trente minutes après ton effort, bouédlo encore pour te réhydrater, pis mange un fruit, des céréales ou un yogourt. Ça va aider tes muscles à récupérer. ●

2MDB **2ADF**

Beaucoup de personnes me disent : « Geneviève, j'ai de la misère à m'empêcher de manger des cochonneries le soir quand je m'assois devant la télé. Le jour, ça va ben, mais c'est le soir mon problème. »

Pour commencer, si t'allais bouger le soir, ça réglerait ben des affaires ! Mais bon, disons que t'as bougé le matin, le soir arrive et là, l'envie te pogne solide. Demande-toi alors ce que ça va faire si tu succombes à la tentation.

Si tu te lâches lousse sur le sac de chips, ça va se finir en 2MDB 2ADF. Ça, ça veut dire : **« 2 Minutes Dans Bouche, 2 Ans Din Fesses »** ! Donc ta cochonnerie va t'avoir donné un beau moment de bonheur dans ta bouche et des années de malheur dans ton péteux ! Penses-y à deux fois avant de te garrocher sur ces affaires-là, même si t'as choisi une version faible en toute pour te donner bonne conscience et te faire croire que tu fais beaucoup d'efforts !

Moi, je mets des post-its partout sur les aliments démoniaques que j'ai dans mon garde-manger. Sur mes post-its, j'ai écrit 2MDB 2ADF. Mets-en toi partout aussi. Pis quand tu t'peux pus, répète-toi ça dans ta tête : 2MDB 2ADF !

Ah oui, j'oubliais, un autre excellent truc... ACHÈTES-EN PAS ! Pis, pour ça, j'vais encore te donner un autre bon truc... Ben oui, chu d'même moé, une distributrice automatique de conseils. **Ne va jamais faire ton épicerie le ventre vide, parce que si t'as faim, tu vas être tentée d'acheter n'importe quoi.** ●

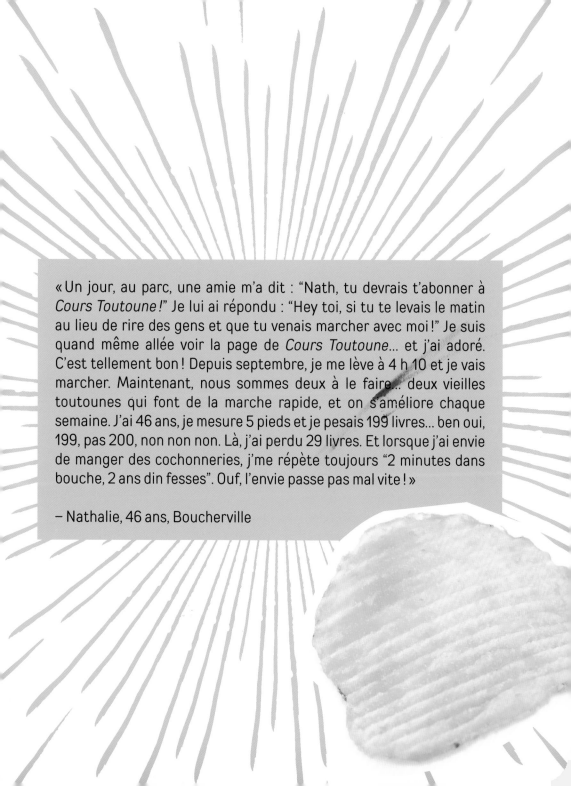

«Un jour, au parc, une amie m'a dit : "Nath, tu devrais t'abonner à *Cours Toutoune !*" Je lui ai répondu : "Hey toi, si tu te levais le matin au lieu de rire des gens et que tu venais marcher avec moi !" Je suis quand même allée voir la page de *Cours Toutoune*… et j'ai adoré. C'est tellement bon ! Depuis septembre, je me lève à 4 h 10 et je vais marcher. Maintenant, nous sommes deux à le faire… deux vieilles toutounes qui font de la marche rapide, et on s'améliore chaque semaine. J'ai 46 ans, je mesure 5 pieds et je pesais 199 livres… ben oui, 199, pas 200, non non non. Là, j'ai perdu 29 livres. Et lorsque j'ai envie de manger des cochonneries, j'me répète toujours "2 minutes dans bouche, 2 ans din fesses". Ouf, l'envie passe pas mal vite ! »

– Nathalie, 46 ans, Boucherville

Cuisiner
ou commander?

Y'en a ben du monde qui se trouve toutes sortes d'excuses. Tiens, celle-là par exemple : **«J'ai pas le temps de cuisiner»**! T'es-tu sérieuse?

Qui t'a mis dans la tête que c'est juste celles qui travaillent pas qui ont le temps de bien faire à manger? **Arrête de dire des niaiseries!** C'est quoi que tu sais pas faire ou que t'as pas l'temps de faire : cuire des œufs dans une casserole d'eau, mélanger un peu d'huile et de vinaigre pour te faire une vinaigrette maison, couper des légumes ou ouvrir une canne de thon?

Plutôt que d'acheter des chips que tu vas grignoter devant la télé, choisis des fruits (tsé, par exemple, des raisins), pis des légumes (des p'tites carottes, des p'tites tomates... lâche-toi lousse sur les couleurs). Pis tu sais quoi? Ça se mange cru! T'as même pas besoin de savoir cuisiner pour ça.

Ah, j'oubliais... y'a aussi ce qu'on appelle les légumes surgelés... Tu vides ton sac dans une casserole d'eau, tu chauffes ça, pis ta soupe elle est prête en quelques minutes. T'as pas besoin de la laisser mijoter une heure pour qu'elle goûte bon!

Pis dis-moi pas que ça te prendrait plus de temps de faire un bon sandwich maison que de commander une pizza...

**« Un instant s'il vous plaît »... « Gardez la ligne...
J'vous reviens... Ce s'ra pas long. »**

Ben, c'est ça... pis en attendant, ton sandwich, y serait déjà fait ! Pis tout ce temps que tu viens de gagner, j'ai-tu vraiment besoin de te dire comment tu peux bien l'dépenser ? ●

Un dîner **presque** parfait

Ah, les légumes! Combien de personnes disent qu'elles n'aiment pas les légumes et que c'est trop mou? Mais en même temps, combien de personnes savent les cuisiner? Un brocoli trop mou ou des asperges trop molles, j'avoue, c'est ark. Tiens, ton brocoli, mets-le dans une poêle en téflon avec une cuillerée d'huile d'olive et fais-le revenir. Ajoute un peu de piment de Cayenne, des fines herbes et du jus de citron frais. Pis, dans ta poêle, pitche donc une p'tite poignée de noix de Grenoble. Tu vas voir qu'on est ailleurs!

Fais-toi des brochettes de légumes avec des épices sur le barbecue comme plat d'accompagnement ou en collation. Ça aussi, ça goûte bon le **« j'mange bien et j'me prends en main »**. Pis si t'as beaucoup faim, mange des trucs riches en protéines, comme du blanc d'œuf, de la poitrine de poulet, du poisson, du bœuf maigre, et tu vas te sentir rassasié pour un boutte!

J'ai découvert le cantaloup – en passant, j'appelle ça « une canta-louPE » (j'sais ben que c'est pas le bon mot, mais moi, c'est de même que je l'ai appris, pis je me sens moins ridicule avec le « PE » à la fin). Bref, j'ai découvert ce fruit avec du poivre dessus... oui, du poivre! C'est super bon en collation. Essaie ça, tu vas capoter!

Pis, j'oubliais... Je suis d'accord avec toi que le matin, plus les céréales sont bonnes pour la santé, plus elles sont plates et laides. Moi aussi, je préfère les Honeycomb plutôt que les céréales brunes qui goûtent rien... mais ajoute des fraises, des bleuets et du yogourt, pis t'es ailleurs. ●

Bouédlo
en masse

Ah, boire de l'eau ! Quelle action difficile ! «J'suis pas capable», «j'ai pas soif», «la gorgée m'roule dans bouche»... Bla-bla-bla...

Bon, c'est sûr qu'il n'y a personne qui se lève le matin après une bonne nuit de sommeil et qui se dit «Oh, j'ai hâte de commencer à boire mes deux litres d'eau, pis d'avoir l'air d'un aquarium !» Ben non, personne s'dit ça. C'est normal que t'aies pas le goût de boire deux litres d'eau dans ta journée, mais t'as pas le choix si tu veux prendre soin de toi.

C'est une habitude à prendre, pis après, ça se fait tout seul.

Mon conseil : Dans les magasins, il se vend des mosus de belles bouteilles de toutes sortes de couleurs, avec ou sans paille. Tu t'en achètes une de un litre, et si tout comme moi, tu es bonne en maths, tu la remplis deux fois dans ta journée et ça te donne tes deux litres. Moi, j'ai une sacrée belle bouteille ! Elle est là à m'attendre sur le bord du comptoir de cuisine, pis chaque fois que je passe devant, gloup, une p'tite gorgée pour la route ! **Pis quand je sors, ma bouteille me suit partout, comme Pogo !**

Commence à faire comme moi et développe une belle relation avec ta bouteille. Et là, tu vas voir que si tu te concentres, tu vas entendre ta bouteille te parler. **Elle va te dire «yiouuouuu, ça fait longtemps que t'as pas pris une p'tite gorgée»...** PAF, taloche virtuelle, il faut que tu prennes ta gorgée. Dans l'temps de le dire, ton premier litre va être bu, et tu entameras ton deuxième, et là, gloup, encore une p'tite gorgée, et ainsi de suite.

Là, viens pas m'dire que ça te fait faire pepi toute la nuit. **Tsé, va pas boire ton eau entre 7 et 8 heures le soir.** Bois-la dans ta journée, comme ça, tout ton pepi va être fait avant d'aller te coucher.

C'est tellement important et facile de s'hydrater. J'ai pas besoin de t'dire que l'eau, c'est bon pour la peau, l'élimination des déchets... et que c'est essentiel si tu veux perdre du poids ! ●

« Je ne bois pas beaucoup d'eau, mais j'ai suivi ton conseil pour la bouteille. Donc, week-end dans le Maine avec ma sœur et ma mère, jogging sur la plage et achat d'une belle bouteille d'eau à moi de moi grâce à toi ! Merci de me faire rire et de me motiver ! »

– Valérie, 42 ans, Saint-Côme-Linière

ÇA VA
BRASSER

Le **dépotoir**
à calories

Je reçois tellement de messages de gens qui me supplient de leur donner de la motivation : «Geneviève, donne-moi un coup de pied au derrière, SVP!», «Geneviève, fais quelque chose, j'ai perdu ma motivation!»

Kessé ça ? Elle est où ta motivation ? C'est ben dommage que tu ne puisses pas la retrouver en dessous du divan ou dans ta sacoche !

C'pas une expédition au Sri Lanka que tu t'en vas faire, tu fais juste sortir dehors dans ta rue. Je ne sais pas quelle sorte de motivation tu as de besoin pour ça. TU SORS DEHORS EN FACE DE CHEZ VOUS! Il me semble que c'est pas compliqué! T'as pas besoin de fermer ton eau, d'arroser tes plantes ou de faire la rotation de tes pneus. Le projet consiste à mettre un pied en avant de l'autre et de faire un copier-coller avec du rythme pendant 30 minutes, bout d'ciarge!

Il faut que tu sortes dehors, parce que si tu sors pas et que tu restes chez vous, tu vas devenir un dépotoir à calories. Là, à un moment donné, le dépotoir va inévitablement devenir trop petit pour le nombre de calories qui vont vouloir se tirer une bûche dans ton péteux. Faque le dépotoir va finir par déborder de partout.

Mon conseil : Fais donc un bon ménage de ton dépotoir ! Si tu bouges, y'a des calories qui vont sortir, pis tu vas rapetisser. Après ça, tu vas avoir un roulement de calories : les vieilles vont sortir, pis des nouvelles vont venir faire une rapide visite avant de ressortir à leur tour.

Si tu manges moins et que tu bouges plus, ben tu vas faire rentrer moins de calories que tu vas en dépenser. C'est ça ton objectif. ●

« Je suis une madame de 58 ans qui a 15 livres de trop. J'ai toujours fait du sport, mais depuis environ six ans, je me laisse aller... à part le ski et le patin de temps en temps, ça fait pas mal dur, mon affaire ! Je me dis que je dois me remettre en forme, mais ça ne va pas plus loin que ça, avec toutes les excuses qui vont avec ! Je suis tombée par hasard sur un des clips de *Cours Toutoune* il y a quelques jours, et vous m'avez fouettée... comme si vous me parliez personnellement ! Alors, depuis deux jours, je m'active 30 minutes après le souper, et je suis fière ! J'espère que je vais continuer. »

– Ginette, 58 ans, Laval

« J'ai simplement un mot à vous dire : merci. Grâce à vous, je me suis botté le cul. Depuis un mois, je fais comme vous, je sors dehors courir et en plus j'ai 10 livres de perdues. C'est-tu pas beau, ça ? Je suis vraiment contente. »

– Marie-Claude, 34 ans, Québec

Toutoune s'en va en guerre contre **la cellulite**

Savais-tu que secouer la cellulite, ça aide à l'éliminer ? Pis pas besoin de t'dire que si tu restes assise, ça la secoue pas pantoute !

Pense deux minutes au temps que ça prend de se badigeonner le corps de crème tous les jours, pis au prix que ça coûte. Tu ferais mieux de t'acheter de nouveaux leggings et d'aller courir.

Pis si vraiment tu veux partir en guerre contre ta cellulite, arme-toi de patience. Ç'a pris un boutte pour que ta cellulite s'incruste dans tes cuisses, alors tu penses-tu vraiment qu'elle va partir du jour au lendemain ? C'est pas parce que tu vas te mettre à trotter qu'elle va aussitôt partir au galop.

J'ai une autre arme secrète pour toi contre la cellulite, c'est la bouteille d'eau. Ben oui ! Parce que plus tu bois, plus tu élimines !

Faque là, je viens de t'donner une autre bonne raison d'aller bouger. Allez hop, sors de chez vous, pis fais-moi bouger c'te cellulite-là qu'on s'en débarrasse ! ●

10 bonnes raisons
d'aller courir

1. Te mettre en forme

2. Perdre tes formes

3. Te changer les idées

4. Évacuer ton stress

5. Être de meilleure humeur

6. Augmenter ton estime de toi

7. Bien dormir

8. Découvrir de nouveaux endroits

9. Prendre du temps pour toi

10. Avoir du fun au boutte... tout simplement

Courir pour
bien vieillir

Tsé, y'a un tas de bienfaits associés à l'activité physique. Ça va bien au-delà de la remise en forme et de la perte de poids. Tiens, j'vais donner quelques exemples! Ça réduit les risques de maladies du cœur, d'hypertension, de diabète et même de certains cancers.

Je ne rajeunis pas et je veux bien vieillir. Hé ben, bouger me permet de combattre certaines maladies associées au vieillissement. J'ai l'air de rien, mais j'me suis informée avant d'écrire! Plusieurs études ont démontré que les personnes qui bougent régulièrement ont moins de chances de souffrir d'arthrite ou d'ostéoporose en vieillissant.

Faire seulement 30 minutes d'exercice trois fois par semaine va renforcer tes muscles et augmenter la densité de tes os. Faque tu vas améliorer ton équilibre et tu vas avoir moins de risques de te faire des fractures si tu tombes.

Ça n'arrête pas, les bonnes nouvelles! Tu crois vraiment que tes bouffées de chaleur, t'as aucun contrôle dessus? Checke ben ça... en faisant régulièrement de l'exercice, elles vont diminuer!

J'viens de t'en donner pas mal, des bonnes raisons pour te motiver à aller courir. Chu d'même moé, une vraie motivatrice! ●

T'es pas toé
quand t'es **à boutte**

Checke ben ça comment l'activité physique va t'aider à remédier à ben des affaires quand t'es à boutte.

LA SURMENÉE
Si t'es du genre à avoir l'impression d'être tout le temps en train de courir dans la vie et que tu te sens sur le bord de l'épuisement, profite donc de ce moment pour recharger tes batteries. Commence par prendre de grandes respirations, étire-toi bien et relâche-moi toutes ces tensions. Ensuite, vas-y à ton rythme et apprécie ce qui t'entoure. Pis, quand t'as fini, prends le temps de récupérer et de bien t'étirer. Après ça, tu vas te sentir tellement plus calme et pleine d'énergie!

LE HAMSTER
Si t'es du genre à repasser tes problèmes dans ta tête quand t'es seule, pourquoi tu ne vas pas courir avec kekun? Rien ne vous empêche de faire une p'tite jasette en marchant au pas de course. Pis, si tu préfères courir toute seule... ben au lieu de te tanner toi-même avec toujours les mêmes affaires, concentre-toi sur tes pulsations, sur ta respiration et sur tes enjambées plutôt que sur tes problèmes. Ça va te changer les idées de place!

L'INSOMNIAQUE
Toi qui as des troubles du sommeil, j'ai une bonne nouvelle pour toi : se bouger l'péteux peut aider à mieux dormir... à condition bien sûr de ne pas sortir courir juste avant de te coucher.

LE PRESTO

Bon, là, ça commence à faire. T'es tellement à boutte que tu stresses tout le monde. Kametoé! Quand t'es à boutte, c'est drette le bon moment de sortir au lieu de varger comme un enragé. Une bonne marche au pas de course, ça va t'calmer, pis, en partant, ton rythme cardiaque est déjà plus élevé que d'habitude tellement t'es énervée... donc tu vas en brûler en tabarouette des calories. Pis en plus de ça, les hormones de stress que tu viens de produire en pétant ta coche, ben elles vont vite sacrer leur camp.

En passant, savais-tu que les gens qui font régulièrement de l'exercice sont généralement plus heureux que ceux qui n'en font pas? Chu d'même moé, une vraie porteuse de bonheur! ●

Aère
ton esprit

Imagine-toi donc que ce n'est pas pour rien qu'on dit que ça aère l'esprit d'aller bouger dehors. Ça augmente la circulation de ton sang et ça oxygène ton cerveau, donc tu es bel et bien en train de te clairer les idées. Quand tu augmentes ton rythme cardiaque, bien sûr que tu respires plus vite et que plus de sang arrive à ton cerveau, faque t'as de l'énergie en masse.

Quand tu as un gros problème à régler, pis que tu ne trouves pas de solutions, oublie-le, pis va prendre une marche.

Mettre un pied devant l'autre va t'aider à te concentrer. Tu auras sûrement les idées plus claires à ton retour. Envoye dewors ventiler !

On va pas s'mentir… chu pas un bouddha. Tu me verras jamais assise en indien en position de yoga en train d'écouter une p'tite musique relaxante. Moi, je cours… Courir, c'est comme la méditation. Quand je manque d'inspiration et d'idées, c'est drette le bon moment pour me ressourcer une p'tite demi-heure. Mais si t'es très occupée et que t'as dix mille choses dans la tête, ben fais-le plutôt pendant une heure ! Ça va t'faire du gros bien. ●

OHMMM…

Parlons des
hormones

Je ne cours pas uniquement pour me mettre en forme physiquement. C'est aussi pour me sentir mieux dans ma tête. Ça m'permet de me défouler, de lâcher la pression et de réduire mon niveau de stress.

Un jour, un coureur d'expérience m'a expliqué que c'était pas psychologique, ce mieux-être, mais hormonal.

Après quequ'petites foulées, ton corps produit de l'adrénaline, qui t'donne un p'tit coup de boost. Ensuite, quand ça commence à faire un boutte que t'es en train de courir, tu te mets à produire des endorphines. **Pis ce sont ces hormones-là qui apportent un sentiment de plaisir et de bien-être.** C'est pas pour rien qu'elles sont liées au désir sexuel.

C'est pareil avec la testostérone. Quand tu cours, t'en produis. Faque là encore, ça augmente ton désir. Pis comme tu viens d'améliorer ta circulation sanguine en courant et que t'as réduit ton niveau de stress, on s'entend-tu que tu peux rentrer chez toi et passer à l'action ? ●

J'ai pas **l'temps...**

Chu pu capable de t'entendre me dire : «J'sais pas où tu trouves le temps pour faire de l'exercice. Moi, j'suis ben d'trop occupée !» Arrête-moi ça tout de suite !

Bon, premièrement, merci d'insinuer que je n'ai pas de vie, pis que j'ai juste ça à faire que de m'entraîner !

Une minute, papillon ! Toi, t'as pas le temps ? T'es qui ? Barack ? Non mais, sans farce ! Barack, il dirige le pays le plus important du monde, il mène une armée, il est partout, dans des galas, des comités... Bon, tu vas me dire qu'il ne fait pas son ménage, son lavage, pis qu'il ne repasse pas ses chemises non plus. Effectivement, c'est un bon point. Mais il a 16 heures de réunions par jour, faque je dirais que ça compense. Savais-tu que Barack, malgré son agenda chargé, il s'entraîne une heure par jour ? **Faque toi, là, trouver 30 minutes aux deux jours, d'après moi, c'est faisable.**

C'pas vrai que t'as pas le temps. Penses-y ! T'es en train de dire «j'ai pas le temps de penser à moi, de faire attention à ma santé, de me gâter». T'as pas le temps pour ça, toi ? Tsé le moment dans ta journée où tu t'écrases dans ton divan, que tu manges des Doritos en les léchant des deux côtés, pis que tu finis la bouche orange ? Ben il est pas mal là, le 30 minutes que tu cherches.

T'en veux d'autres, des minutes? Ben tes fameux Doritos, parlons-en. C'est même plus la peine de perdre ton temps devant les tablettes de l'épicerie à te demander quelles cochonneries tu vas acheter. T'en achètes plus! Pis le temps que t'aurais perdu à passer la balayeuse pour enlever les miettes sur le divan, ben tu viens de le gagner pour aller courir. C'est incroyable, non? Tout ça pour un paquet de chips!

Faque tu vas arrêter de dire que t'as pas le temps, parce que sinon tu vas la sentir ma taloche virtuelle en arrière de ta tête! ●

«J'ai 42 ans et je n'avais pas fait de jogging depuis l'âge de 16 ans. J'ai pas l'temps, chu trop fatiguée… Bla-bla-bla… Hé ben, après avoir vu les capsules de *Cours Toutoune,* j'ai commencé à courir. J'en reviens pas encore! Quel bien! Maintenant, il faut continuer…»

– Nancy, 42 ans, Grande-Rivière

Message à la jeune maman

«Moi, j'ai deux enfants, pis j'suis souvent seule à m'en occuper...»
Bon, en v'là une autre qui va me dire qu'elle n'a pas le temps de prendre soin d'elle!

Checke ben l'information que j'ai pour toi, pogne-toi un papier pis un crayon parce qu'on est ailleurs en tabarouette : il existe une affaire conçue spécialement pour toi, la jeune maman! Ça se nomme... attends... voyons, le nom m'échappe... ah oui, UNE POUSSETTE!

C'est assez l'fun c't'affaire-là! Ça vient avec des genres de p'tites roues qui font que si tu pousses ladite poussette, ben ça roule tout seul! Oui, je te jure, ça roule! Je viens d'te jeter à terre là, hein?

Donc, tu peux toi aussi aller faire ton 30 minutes de marche ou de course. Ça va être bon pour toi et pour ton bébé. Pis ton autre enfant, il peut vous suivre avec son p'tit tricycle! ●

10 excuses
pour ne pas aller courir

1. J'veux pas sortir... T'as vu l'temps qu'il fait dehors ?

2. Ça va défaire mes cheveux.

3. Mon linge d'exercice me fait plus,
j'ai pris trop de poids.

4. J'ai tellement de choses à faire !

5. J'veux pas rater mon programme préféré à la télé.

6. Je n'ai jamais couru de ma vie. C'est pas
à mon âge que je vais commencer.

7. Je vais transpirer et puer.

8. J'ai aucun style.

9. Je suis gênée. Le monde va rire de moi.

10. Je suis trop pesante.
Il faut que je perde du poids avant !

« J'aime bien les capsules de *Cours Toutoune*. Elles me remontent le moral quand je n'ai pas le goût de sortir marcher. Je suis passé de la taille 44 à 40 dans mes pantalons, de 320 à 275 livres en dix mois. Je marche de 3 à 4 kilomètres chaque soir depuis septembre. J'appelle ça "Cours Nounours", ce qui convient mieux pour un gars ! »

– Raynald, 52 ans, Saint-Elzéar

La maudite **paresse**

Toute la journée, tu t'es motivée pour aller courir à soir. Pis là, tu rentres après la job, tu te poses cinq minutes dans ton divan, pis BANG! La paresse arrive… et s'installe! Pis t'as plus le goût de sortir.

Tu sais-tu c'que tu vas en faire de ta paresse? Ben, mets-la sur ton divan en dessous de ta doudou, pis va-t'en bouger. Elle va t'attendre, elle n'ira nulle part! Tu iras la rejoindre après.

Tu vas voir que si tu fais ça souvent, elle va comprendre qu'elle est de trop dans ta vie. Tu vas la voir arriver de moins en moins souvent, et elle va finir par virer d'bord!

**Plus tu feras de l'exercice, plus tu voudras en faire!
Parole de Toutoune.** ●

Les **REER**

Comment économiser ? C'est facile ! Quand tu passes dans l'allée des chips à l'épicerie, regarde le prix du sac que tu voulais mettre dans ton panier. Ce montant, au lieu de le mettre dans ton péteux, mets-le dans un pot à la maison.

De cette façon, tu contribues à un REER :
Ramasse En Éliminant tes Rondeurs !

Avec cet argent, tu pourras t'acheter de bons running-tchou pour aller dehors, un chandail, un bikini... un voyage, qui sait !

Chu d'même moé, une vraie conseillère financière ! ●

La balance...
oublie-la

Mon truc pour continuer à perdre du poids ? J'vais te l'dire. Mais attention, ce n'est pas parce que ça fonctionne pour moi que ça va marcher aussi pour toi. Contrairement à la plupart des gens, les chiffres, moi, ça me démotive, parce que la route me paraît trop longue.

Je me suis jamais mis en tête d'atteindre tel ou tel poids. Pis, mon objectif n'était et n'est toujours pas dans l'apparence, mais dans le bien-être ! Faque, il y a plusieurs mois, j'ai commencé à bien m'alimenter, à boire beaucoup d'eau, à marcher et à courir ! Pis c'est de même que j'ai perdu du poids !

Si tu as besoin d'un vrai objectif pour te motiver, va t'acheter une paire de jeans trop p'tits, pis mets-la quelque part à ta vue. Le jour où tu rentreras dedans, tu auras atteint ton objectif, et ce sera une première victoire, pis tu feras un copier-coller à chaque étape. C'est bon, hein ? Quand tu vas voir ton p'tit derrière dans tes nouveaux jeans, tu vas jubiler.

Faque, si comme moi, un objectif de poids ça te démotive, oublie la balance, comme ça tu ne seras pas déçue en la voyant bloquer sur le même chiffre – en passant, quand ça arrive, ça veut pas dire que ton corps ne change pas. Tu te sentiras pas démotivée par ce maudit chiffre qui ne te rend heureuse qu'une fois sur trois, pis tu seras satisfaite de ta semaine !

J'AI MANGÉ
TROP DE
CROQUETTES...

Ça ne sert à rien de se mettre de la pression inutilement. Si tu te fixes comme objectif ta nouvelle paire de jeans, ne la prends pas non plus trois tailles en dessous de ce que tu portes aujourd'hui. Plus tu seras réaliste dans ton objectif, plus il y a de chances que tu l'atteignes et donc que tu sois fière de toi. ●

La **positive** attitude

Voici une chose ben importante ! Si tu as une attitude positive face à ton choix d'intégrer l'activité physique dans ta vie, ce sera plus facile d'y aller et de ne pas manquer de sessions d'entraînement. Tu as décidé de faire 30 minutes d'exercice trois fois par semaine ? Ben, regarde ces journées arriver avec joie et enthousiasme !

Il faut que tu aies hâte de te faire du bien.

Ne te dis pas « booonnn, c'est à soir, pis ça m'tente pas pantoute ! » Nenon, tu dois te dire « c'est à soir que je sors prendre soin de moi. Maudit, que j'vais m'sentir bien après ça ! »

C'est toujours plus agréable de croiser une personne qui marche ou qui court avec un beau sourire que de croiser une face qui est à l'article de la mort !

Citation Gagnon : De toutes les choses que tu portes, ton expression est la plus importante. Faque sors ton sourire du tiroir, mets-le dans ta face, pis sors bouger ! ●

Quand le cœur
n'y est pas

Bon, on s'entend qu'il y a des jours où on n'a vraiment pas le goût et qu'on ne retrouve pas son sourire même en cherchant dans le tiroir. Ben oui, ça peut nous arriver à toutes nous autres ! Acceptons-le.

Se prendre en main ne veut pas dire sortir son fouet pour s'autoflageller au moindre écart de conduite.

Prends ça cool et ça ira mieux demain ! Lâche prise sur ton programme d'entraînement et de remise en forme : ce ne sont pas des travaux forcés. Ça doit rester un plaisir pour toi de te faire plaisir !

En attendant de retrouver l'envie de sortir, ne te jette pas sur des aliments DDP en te disant que tout effort est vain... ni « au point où j'en suis » ! Prends ça relaxe et mange plutôt des fruits.

J'ai un autre truc pour te redonner l'goût. Va simplement prendre une marche sans objectif de course... juste une p'tite marche. Ça va te faire du bien et qui sait, tu retrouveras peut-être ton sourire sur le chemin, pis aussi l'envie de courir ! ●

«Je n'ai pas couru depuis... trois ans, je crois. J'ai commencé à m'entraîner, mais je n'osais pas encore courir. Ma mère m'a montré la page de *Cours Toutoune,* et ça m'a redonné le goût de courir. Eh oui, à la fin de mon petit trois kilomètres, j'me suis dit "Envoye, cours, Toutoune !" et j'ai fini ma course avec un sourire. »

– Myriam, 20 ans, Gatineau

T'es **capable !**

**T'es-tu sérieuse quand tu dis que t'es pas capable
de PERDRE DU POIDS ?**

Laisse-moi te prévenir que tu vas recevoir une taloche virtuelle en
arrière de ta tête si je t'entends répéter ça encore une fois.

T'as été capable de le prendre tout ce poids... toute seule, comme
une grande. Donc, tu devrais être capable de le perdre, non ? Pis tant
qu'à y être, t'as-tu besoin de kekun pour te prendre par la main ? Il me
semble t'avoir donné pas mal de trucs qui devraient t'aider. Y'en a ben
du monde qui y est arrivé avant toi.

Kessé ça maintenant ? T'es pas capable de COURIR ?

J'ai ben l'impression que tu te lâches lousse sur les excuses ! Laisse-
moi te prévenir qu'y a une autre taloche virtuelle en arrière de ta tête
qui va bientôt s'en venir elle aussi !

**Y'a ben des choses qui nous paraissent impossibles
tant qu'on ne les a pas essayées.**

Faque, essaie de courir avant de dire que tu n'y arrives pas... que tu
n'as pas assez de souffle, que t'es trop lourde et pis je-ne-sais-quelle
autre patente. Tu te sens pas assez en forme pour faire de l'exercice ?
Ben c'est justement ça le but : te remettre en forme !

Bien sûr qu'il est conseillé de consulter un médecin pour s'assurer qu'on ne se mettra pas en danger au moindre effort, surtout lorsqu'on fait de l'embonpoint. **Mais si t'es capable de te lever de ton divan, tu devrais être capable de prendre une p'tite marche.** Pis si t'es capable de monter des escaliers, tu dois aussi être en mesure d'accélérer un peu le pas… et ainsi de suite.

J'te dis pas de sortir de chez toi et de faire un deux cents mètres drette là, sans préparation ni échauffement. Avant de te mettre à courir, lis la section 3, 2, 1… Let's go ! Tu vas voir qu'y a rien de sorcier là-dedans, et que, si t'es motivée, tu devrais y arriver. Vas-y un pas à la fois ! ●

« Depuis ce matin, j'ai recommencé à courir ! Je croyais que je ne serais pas capable de faire une longue distance, donc j'avais en tête de suivre les conseils de *Cours Toutoune* : 5 minutes de marche, 1 minute de jogging. Finalement, j'ai couru 4,2 kilomètres sans marcher ! Je suis sortie du sentier avec un sourire d'épaisse satisfaite collé au visage ! Tu m'as donné le coup de pied dont j'avais besoin. Merci et bonne course. »

– Émilie, 34 ans, Saint-Hyacinthe

ÇA PREND ÇA !

Mon kit de coureuse

> de bons running-tchou

> un élastique pour attacher mes cheveux

> mon cellulaire pour me filmer

> un lecteur de musique pour me motiver

> une bouteille d'eau pour m'hydrater

> des lunettes de soleil pour me donner un style

> mon plus beau sourire pour montrer
que c'est le fun de trotter

> du baume à lèvres pour qu'elles ne craquent
pas au soleil l'été ni au frette l'hiver

> de la crème solaire

> Pogo

> un sac à caca

> des mouchoirs... ben oui, des fois on a le goût de se moucher,
et l'hiver, c'est pas beau de faire ça avec sa mitaine !

Vive les **gros bras mous !**

Combien de fois je me suis fait dire : « je porte pas de camisole, parce que j'ai des gros bras mous » ? PARDON ? Tu t'empêches de porter des camisoles pour ça ? Tu vas m'arrêter ça tout de suite ! Voyons donc, ils ont le droit de respirer, eux aussi, ces beaux p'tits bras-là ! Pis écoute-moi ben, c'est pas parce que tu portes des manches que tes bras vont soudainement devenir minces et sveltes; **on les voit pareil, tes beaux p'tits bras en jello.**

Si tu ne veux pas qu'on voie tes bras, reste chez vous ! Reste assise dans ton salon, pis fais un gros rien. Comme ça, ils ne bougeront pas, tes bras, pis personne va voir qu'ils sont mous ! Ça fait réfléchir, hein ? Chu d'même moé, une vraie philosophe !

La prochaine fois qu'il fait chaud ou que tu vas dans un gym, tu vas te mettre une camisole, pis tu vas aller bouger la TÊTE HAUTE. C'est-tu assez clair, ça ?

Dis-toi ben une chose. Il y a des grandes minces, tsé celles qui mangent plein de junk food pis qui ne prennent pas une livre, tsé celles qu'on hait au boutte ? Ben imagine-toi donc qu'il y en a plein que le peu de peau qu'elles ont, ben il est mou ! Faque t'es pas toute seule.

Y sont beaux tes beaux bras mous... faque va leur faire prendre de l'air, pis va t'acheter une camisole au plus sacrant ! ●

« Salut Geneviève ! Je sais pas si tu réalises l'impact que tu peux avoir sur le monde. Tu dédramatises les complexes. J'ai perdu 132 livres. On s'entend que mon corps fout le camp, lol. Je viens de regarder ta vidéo sur les gros bras mous. Tu as bien raison, je vais mettre des camisoles ! Je ris toute seule dans mon salon. Mes deux fifilles saucisses, Harley et Cocotte, ne comprennent pas pourquoi ! »

– Lydia, 36 ans, Les Coteaux

« Ta vidéo du gras de bye bye m'a motivée. Je suis le genre de personne qui a toujours une excuse pour ne pas aller courir ! Ben, je suis partie… Pis, j'y retourne demain ! »

– Marie-Claude, 36 ans, Valleyfield

Être bien
totonnée

Si tu te mets à courir, il est important d'avoir un bon soutien. T'as intérêt à être bien totonnée si tu veux pas te blesser. Certaines pourraient avoir les yeux au beurre noir, d'autres avoir un léger déséquilibre, et pour celles qui auraient abusé de l'eau saline dans leurs implants, ça pourrait tourner au mal de mer, mais ça, c'est un autre dossier.

Il est important de bien séquestrer tes seins dans un bon soutien-gorge de sport. Je te conseille de le prendre paddé, car lorsque tu as un frisson, tu ne veux pas devenir spectaculaire pour tous ceux que tu croises.

Selon différents sondages, trois femmes sur quatre se plaignent d'une douleur à la poitrine durant leur course.

C'est pas étonnant quand on sait que 70 % des femmes portent la mauvaise taille de soutien-gorge durant la pratique de leur activité physique. C'est pas moi qui invente ça. J'ai l'air de rien de même, mais j'ai fait des recherches. Pis cette info vient d'une étude de l'Université de Portsmouth en Angleterre. Bref, que tu sois du type A ou du type fait-longtemps-que-j'ai-pas-vu-mes-pieds, que tu coures sur un tapis roulant ou dans la rue, ça s'adresse à toi.

Si tu ne veux pas que tes seins se mettent à aller de l'avant à l'arrière et de gauche à droite et qu'ils fassent une danse involontaire, pis qu'ils se ramassent à l'émission *So you think your boobs can dance*, **voici quelques trucs pour choisir le bon soutien-gorge :**

> Prends une **brassière à ta taille.** Tu dois pouvoir glisser facilement un doigt sous la couture inférieure du soutien-gorge, ainsi que sous la bretelle à l'épaule;

> Opte pour des **bretelles qui se croisent dans le dos** et qui sont ajustables, parce que, comme t'as certainement remarqué, nos seins ont tendance à grossir à l'approche des menstruations. Si tu as des seins très volumineux, choisis des bonnets séparés;

> Vas-y pour un soutien-gorge fait en tissu de **haute performance;**

> Remplace ton soutien-gorge **tous les ans,** parce qu'il perd de son élasticité;

> Lave-le avec du savon doux à la main ou à la laveuse (au cycle délicat), pis **suspends-le pour le séchage,** pour préserver son élasticité. ●

L'été,
y fait chaud

Il est bien important d'être bien shorté, c'est-à-dire de porter LES bonnes shorts. Si, tout comme moi, tu as des cuisses dépendantes affectives, tsé une cuisse qui peut pas se passer de l'autre pis y faut toujours que les deux s'touchent, ben fais attention à ton choix de shorts. Souvent, les shorts se ramassent toutes plissées dans le milieu, tsé là, dans le poutpoutepadampoute! Quand ça arrive, on dirait que tes shorts font un M.

Mes conseils : Achète-toi des shorts qui viennent avec un genre de cuissard attaché en dessous, pis tu vas gagner en confort. Il y a aussi la petite jupette de course, moi, personnellement, c'est mon vêtement de course préféré. Elle vient aussi avec un petit cuissard attaché en dessous. Mais si tu choisis mal ta jupette et que tu la prends trop petite, ton cuissard va aussi se ramasser dans ton poutpoutepadampoute. C'est pas tout le monde qui va le voir, mais tu vas tellement être inconfortable qu'à tout bout de champ, tu vas être en train de te replacer l'affaire. C'est pas beau ! ●

L'hiver,
y fait frette

Bon, c'est sûr qu'au début, tu peux y aller avec ton bon vieux jogging, tsé celui que tu portes pour aller magasiner au marché aux puces le dimanche après-midi. Mais très vite, tu vas vouloir avoir un vêtement avec une matière qui respire. Mais quel est ce vêtement? vas-tu me demander. Je m'en vais te répondre drette là!

Tsé les leggings en lycra bien moulants qu'on portait dans le temps de *Flashdance* ou de Boy George? Ben j'espère que tu ne les as pas jetés. Ressors-moi ça de tes boîtes! C'est ça qu'ils portent tous. C'est bon pour la température de ton corps, ça coupe le vent, pis ça donne du style.

Bon, je t'entends déjà me dire que tu n'es pas à l'aise de porter ça, qu'on voit toutes tes formes pis tes rondeurs pis tous tes défauts... Bla-bla-bla... **BEN OUIIIIIIII, t'en as des formes, PIIIISSS? J'en ai moi aussi des formes!** Est-ce que je m'en fous? Pas mal, oui! J'en ai des défauts quand on me regarde le derrière.

J'ai l'air d'avoir passé la journée assise dans la garnotte tellement j'ai de la cellulite. Pis penses-tu vraiment que je m'empêche d'être confortable pour ça? Ben non! Je les porte quand même, mes leggings. Ceux qui ne sont pas contents, ben qu'ils mangent d'la schnoutte, pis qu'ils continuent à arroser leur asphalte avec des bas dans leurs sandales!

L'équipement d'un marcheur-coureur n'est pas un accessoire de mode! Nenon, c'est un outil important pour te sentir ben à l'aise. Pas obligé de dépenser des fortunes. L'important, c'est que ce soit fait dans une bonne matière qui se lave et qui sèche vite. ●

«Merci à toi, *Cours Toutoune*. Depuis que j'ai vu la première vidéo, je me suis mise à la course, tous les soirs 30 minutes. Tassez-vous, les poulettes, j'arrive!... Pour une sainte fois que ce n'est pas une p'tite christ – c'est mon p'tit nom gentil pour nommer celles qui font juste ça de leur vie, s'entraîner... et qui sont toujours habillées pour nous faire voir qu'elles n'ont pas une once de graisse. Toi, tu nous rejoins... et en plein dedans!»

– Maryse, 50 ans, Beauce

Dis adieu à tes souliers Pepsi

Il est important d'être bien chaussé pour aller courir ou marcher. Ce n'est vraiment pas le bon moment pour sortir du placard ta vieille paire de souliers Pepsi !

Mon conseil : Pour trouver la bonne chaussure, l'idéal est d'apporter une paire déjà usée dans un magasin de sport spécialisé afin qu'un professionnel puisse te proposer un équipement adapté à la morphologie de tes beaux p'tits pieds. C'est ce que j'ai fait et j'avoue que mes souliers me vont comme des pantoufles. ●

«Ce matin, je suis allée m'acheter des souliers de gel pour ma fibromyalgie, et ce soir, je vais m'acheter des bâtons de randonnée pour m'aider à garder l'équilibre en marchant. Tu me motives au max... pas de raison de rester à la maison. Au bout de ma rue, la ville de Valleyfield a fait un superbe parc avec une île autour du vieux canal. C'est superbe !»

– Elyse, 47 ans, Valleyfield

3, 2, 1...
LET'S GO !

La **préparation**

Tu n'as pas d'excuses, il faut que tu t'y mettes !

Checke ben la préparation que ça prend pour aller faire de l'activité physique dehors ! Pogne-toi un papier pis un crayon parce qu'on est ailleurs en tabarouette !

1. **Tu mets une paire de running-tchou sur le bord de la porte pour qu'ils soient là en tout temps à la vue;**

2. **Quand t'es prête, tu te rends près de la porte, pis t'enfiles tes running-tchou;**

3. **Tu ouvres la porte;**

4. **Tu vas dehors.**

Voilà !

Bon, j'te dis pas de te mettre à courir comme une poule pas de tête dès que tu as franchi le pas de la porte ni de te lancer dans un marathon du jour au lendemain. Assure-toi d'être apte à le faire et fais-toi un programme, soit avec une application sur ton appareil intelligent, soit en lisant sur le sujet des articles écrits par des experts. ●

«J'ai fait ma première course aujourd'hui, 4 fois 30 secondes dans mon 40 minutes de marche ! C'est parti : j'ai fait ma préparation (running shoes bien en vue sur le bord de la porte), j'ai planifié mon agenda et mes finances. Je fais une toutoune de moi ! »

– Geneviève, 45 ans, Lévis

L'échauffement : pour partir du bon pied

Avant toute activité, il est très important de bien s'échauffer. Attention : il ne faut pas confondre s'échauffer avec se réchauffer en buvant quatre shooters. Nenon, on parle ici d'échauffement !

L'échauffement, c'est très important. Ça permet à ton corps de se préparer à faire une belle marche rapide ou bien une petite course. Ça prend en moyenne 5 minutes.

Pour la course à pied, un bon échauffement consiste à commencer la séance par une marche de quelques minutes pendant laquelle tu augmentes la cadence jusqu'à ce que tu te mettes à trotter. Tu dois commencer lentement avant de trouver ton rythme et de passer en mode croisière.

Si tu veux faire une bonne marche rapide, c'est pareil. Ton corps a besoin que tu lui accordes un certain délai avant de se mettre en route. ●

Kametoé

T'es tout excitée à l'idée de t'y mettre. C'est bien, mais kametoé un peu ! Laisse tomber la mentalité du « tout, tout de suite », sinon ça risque de vite et mal se finir. N'oublie pas que ça doit faire un boutte que tu n'as pas bougé ton péteux.

Au début, c'est sûr t'es super motivée. Faque tu vas courir encore... encore... tout l'temps. Pis là, tu sais c'qui va arriver si tu fais ça ? Ben, tu vas finir épuisée, pis tu vas craquer et tout arrêter... aussi vite que t'as commencé... du jour au lendemain !

Moi, je cours trois fois par semaine pendant une heure. La première semaine, je faisais 5 minutes de marche pis 30 secondes de petite course. La semaine suivante, je faisais 5 minutes de marche pis 45 secondes de petite course... et ainsi de suite.

Tu peux faire un peu moins de marche et un peu plus de course (4 minutes de marche, 45 secondes de course). **L'important, c'est de commencer doucement, sinon tu risques d'abandonner rapidement en disant : « j'suis pas capable » !**

Si un jour tu n'as pas une heure devant toi pour faire ton entraînement au complet, fais-en juste un p'tit boutte, une p'tite demi-heure, pis tu pourras courir plus longtemps la prochaine fois. T'as pas besoin de te culpabiliser pour rien. Oublie le « tout ou rien » ! ●

Comment brûler
plus de calories
en marchant

J'ai une bonne nouvelle à t'annoncer : la marche est aussi bonne que la course si tu veux perdre du poids ou juste rester en forme ! Si tu veux brûler un maximum de calories sans te mettre pour autant à courir, voici quelques trucs.

> **Marche la tête haute,** redresse les épaules et regarde droit devant un peu comme une danseuse de ballet.

> **Plie les bras.** Ça aide à aller plus vite, pis c'est plus gracieux.

> Plutôt que de faire de grandes enjambées, **augmente le nombre de tes pas.**

> **Pousse sur tes pieds.** Imagine qu'à chaque pas, tu montres ta semelle à la personne qui te suit. Plus tu vas pousser, plus tu vas augmenter ta cadence... pis c'est ça le but !

> **Varie ton rythme.** Des chercheurs de l'Université de l'Ohio ont étudié le rapport entre l'évolution de la vitesse de marche et le nombre de calories éliminées. Checke ben les résultats : si tu marches en variant ton rythme plutôt qu'en conservant une cadence régulière, tu brûles 20 % de calories de plus ! Pis c'est pas fini ! Jusqu'à 8 % de l'énergie utilisée pour la marche serait en réalité dépensée au moment du démarrage et de l'arrêt de la marche, parce que c'est à ces moments-là que ton organisme est le plus sollicité ! Faque, pour brûler plus de calories en marchant, tu dois varier ta cadence. **Tu marches, tu t'arrêtes, tu redémarres et ainsi de suite.** ●

La musique,
un grand classique

Prendre mon lecteur de musique pour aller courir, c'est un réflexe. J'sais ben qu'il ne faut pas mettre la musique trop fort dans ses oreilles parce qu'il vaut mieux entendre ce qui se passe autour. Mais moi, j'aime ça courir avec du beat.

La musique joue sur notre humeur, notre énergie et notre motivation. Si t'écoutes une musique bien rythmée comme *Eye of the tiger,* tsé la musique de *Rocky,* ben, ça va te motiver pour courir plus vite et plus longtemps.

Prépare-toi une playlist de musique entraînante ou profite de tes sorties pour écouter un nouvel album. Et hop, une motivation de plus ! ●

«Je suis une toutoune fière ! Je suis passée du trot au jogging sur le tapis, de 15 à 20 minutes, et j'augmente la vitesse à chaque fois, avec des intervalles de deux minutes. Et maintenant, les écouteurs, le iPhone et de la musique motivante... Je sens mon cardio s'améliorer à chaque fois ! »

– Julie, 40 ans, Châteauguay

Rien ne sert de courir... **trop vite**

Quand je dis d'aller marcher pour faire de l'activité physique, c'est dans le but d'augmenter ton rythme cardiaque afin de te tenir en forme, donc vas-y pas avec un pas de tortue ! Sors de ta zone de confort.

Chacun doit trouver son niveau d'intensité pour éprouver un effort. L'erreur qu'on fait souvent est de mal mesurer cette intensité. Si tu fais trop d'efforts, t'as pas d'fun pantoute. À l'inverse, si t'en fais pas assez, t'es frue de ne pas sentir d'amélioration. Sans commencer à parler de performance, il faut toujours faire un bel effort pour avoir de bons résultats sur la santé !

La façon de bien jauger son effort est d'être capable de répondre à des questions en marchant ou en courant, mais sans être en mesure d'avoir une longue conversation. Si tu dois respirer après chaque mot, tu y vas trop fort, mais si t'es capable de chanter ta chanson préférée, tu te donnes pas assez. Anyway, il y a sûrement ben du monde qui a le goût que tu sois pas capable de chanter tout le long *Dancing Queen* avec les mauvaises paroles ! ●

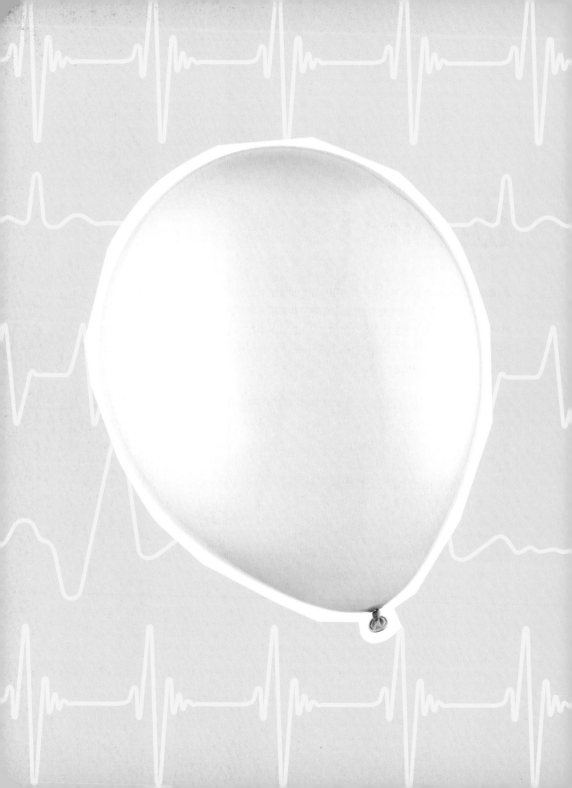

Respire !

Kessé ça, c't'affaire-là d'inspirer par le nez et d'expirer par la bouche ?
Tu crois vraiment que c'est le moment de faire des économies d'air ? Si tu prives ton corps d'oxygène, tu vas avoir des crampes. Faque inspire par le nez ET par la bouche, pis quand tu expires, vide bien l'air de tes poumons. Ça t'aidera à mieux t'oxygéner.

Mon conseil : Quand tu t'essouffles, augmente un peu la cadence pendant une minute. Pis quand tu vas revenir au rythme auquel t'étais essoufflée... ben, tu l'seras plus. C'est sûr que si t'es vraiment à bout de souffle, il faut ralentir le rythme et essayer de penser à autre chose. Pas de panique ! ●

On peut ben rire
de nous autres

Y'a des gens qui me disent qu'ils n'osent pas marcher rapidement ou qu'ils n'essaient même pas de courir parce qu'ils n'ont pas de style, qu'ils sont trop gênés et qu'ils ont peur de ce que les autres vont dire. Bon bon bon, tu vas m'arrêter ça tout de suite! Kessé ça c't'affaire-là?

Penses-tu que j'suis gracieuse, moi? J'ai l'air d'une roche sur deux pattes quand je cours. J'm'en sacre-tu? Un p'tit peu! Si y'en a qui rient de moi... ben qu'y rient!

Dis-toi ben une affaire : quoi que tu fasses, y'aura toujours quelqu'un qui va rire de toi! Pis dis-moi pas que tu n'as jamais ri de personne toi dans ta vie! **On peut ben rire de nous autres, ON S'EN FOUT!** C'est-tu assez clair, ça?

Veux-tu ben chausser tes running-tchou, pis sortir dehors, pis mettre ta concentration ailleurs, comme sur l'augmentation de tes pulsations cardiaques? Sais-tu c'que ça va faire? Ben, ça va te faire du gros bien. Tu vas te sentir tellement bien après ta sortie, qu'après ça, tu vas te dire : **ceux qui rient de moi, ben qu'y mangent d'la schnoutte, je m'en fous complètement!**

Mon conseil : Au début, si tu es vraiment trop gênée, commence par sortir le soir. Y'a statistiquement moins de gens qui pourront rire de toi. Pis en plus, c'est super le fun le soir, parce que tu peux fouiner dans les maisons et juger leur décor ! Les lumières sont allumées, pis les gens à l'intérieur ne te voient pas. C'est mieux que le catalogue Ikea pour te donner des idées pour chez toi ! ●

Courir **par tous les temps**

Si y'a ben une affaire sur laquelle tu n'as pas le contrôle, c'est le temps qu'y fait. Tu peux choisir de rester chez vous et faire des push-up, mais tu peux aussi décider que rien ne t'empêchera d'aller courir.

S'il fait chaud, inquiète-toi pas, t'es pas faite en chocolat... tu ne fondras pas. Mais j'te conseille de mettre de la crème solaire sur ta peau et de boire beaucoup d'eau.

S'il pleut, inquiète-toi pas, t'es pas faite en sucre non plus... pis c'est ton gras qui va fondre un peu plus vite, parce que tu vas brûler plus de calories sous la pluie. Pis tu pourras sauter dans les trous d'eau si le cœur t'en dit. On peut ben retrouver son âme d'enfant de temps en temps.

S'il vente, inquiète-toi pas! Dis-toi ben une chose : une toutoune, ça part pas au vent, oh que non! Essaie de courir face au vent pour augmenter l'effort.

Plus tu sortiras de ta zone de confort, plus tu seras fière de toi. Et ça, ça n'a pas de prix!

Pis, juste de même là, l'automne est la saison idéale pour sortir dehors. Arrête de capoter avec les changements d'heure et de lumière. Tsé, le dimanche, quand tu fais la file pour aller bruncher au resto pour des œufs pis du bacon à 35 piasses, ben remplace-moi ça par une sortie en plein air dans les couleurs en famille! Chu d'même moé, une vraie organisatrice d'évènements! ●

Après l'effort,
le réconfort

Après ton activité, il est très important de faire un bon cool down (c'est ce que les pros appellent la phase de récupération). C'est exactement l'inverse de ce que t'as fait pour t'échauffer. Ralentis progressivement plutôt que de t'arrêter d'un coup. **C'est l'temps, là, de marcher comme une tortue !**

Un bon étirement à la fin est important afin de relâcher les muscles dont je ne connais pas le nom (chu pas médecin, moé, bout d'ciarge) qui seraient restés tendus ou crispés après ta séance d'activité.

Si tu fais une recherche sur les internets (comme dirait mon oncle Yvon), tu trouveras des petites vidéos qui montrent comment bien faire les étirements. ●

Les **snowbirds**

Toi, oui toi, qui pars tout l'hiver dans l'sud ! J'espère que tu t'en vas pas abuser de ta chaise pliante en face de ta porte de roulotte en d'sous de ton auvent ! T'es dans l'sud bout d'ciarge, j'espère que tu vas bouger un peu !

Quand tu vas à la plage, au lieu de faire un rond d'amitié avec l'eau jusqu'aux genoux en parlant des potins artistiques ou des résultats des Canadiens, profites-en donc pour nager en petit chien. À la piscine de ton resort, pas game de préparer des p'tites joutes de ballon !

Je ne veux JAMAIS, non jamais t'entendre dire qu'il fait ben d'trop chaud pour marcher ou courir, sinon j'te sacre une autre taloche virtuelle ! Vas-y le matin tôt ou le soir, viarge. On sort ben à −30 °C, nous autres, faque toi tu peux sortir à 30 °C !

Et toi qui restes ici, au frette, je ne veux pas t'entendre dire : «Moi, je ne sors pas l'hiver... Y fait ben d'trop frette ! » Ben voyons ! Kessé ça c't'affaire-là ? Tant qu'à y être, remplis ta maison de provisions pour six mois, barricade tes portes et tes fenêtres pour l'hiver, pis ressors juste en avril !

C'est tellement beau l'hiver, sortir à –30 °C, une petite demi-heure bien habillé, et ensuite rentrer à la maison – pis ça sent la bonne soupe aux légumes – te déshabiller pis rester en mou avec les joues rouges... C'est tellement un beau moment. **Si tu n'as jamais fait d'exercice l'hiver, c'est cette année que tu commences.** J'te l'dis, tu vas capoter ! ●

Pour aller **plus loin**

Oui, c'est bon de sortir prendre l'air et de faire du cardio ! Mais il ne faut pas oublier une chose : tu dois faire attention à ta peau, parce qu'en vieillissant, elle a tendance à bouger comme de la gibelotte à certaines places... tsé, c'est mou !

Bonne nouvelle, tu peux la raffermir ! Oui oui, pis c'est simple en plus. Bon, tu dois t'acheter un p'tit tapis. Ça se vend partout et c'est pas cher. **Tu fais 50 abdos aux deux jours.** Bon, c'est sûr qu'au début, 50, c'est la fin du monde, mais à force d'en faire, ça va bien aller.

Après tes abdos, tu fais la planche. Tu te couches à plat ventre pour commencer, pis tu soulèves les fesses en te tenant sur les avant-bras et le bout des pieds. Tiens comme ça pendant une minute. Essaye-moi ça. C'est bon pour les abdos.

Il y a aussi les push-up ! Je t'entends me dire que t'es même pas capable d'en faire un. Ben moi non plus quand j'ai commencé, j'étais pas capable d'en faire un. Maintenant, je suis capable de faire trois sets de 50. Bon, on s'entend que je les fais sur les genoux, mais au moins je les fais. Faque si je suis capable, toi aussi t'es capable !

Il y a aussi la chaise ! Ça n'arrête plus, les bonnes idées ! Tu colles ton dos au mur, tu te baisses en gardant les genoux à 90 degrés et tu restes de même une minute. Tu fais ça plusieurs fois dans ta semaine, et la semaine suivante, tu tiens deux minutes, pis ainsi de suite.

Faque, go go go ! On raffermit ça, cette p'tite peau fatiguée là ! ●

Alors,
on saute ?

Bon bon bon, c'est l'hiver ! On s'peut pus tellement on n'aime pas avoir frette ! Tu ne veux pas pantoute essayer d'aller courir dehors ? OK. **Écoute-moi ben, j'vais te donner un truc pour continuer à bouger sans que ça te coûte une fortune.** Oui, parce qu'il y a beaucoup de personnes, avec la volonté du moment, elles vont aller s'inscrire dans un gym avec un contrat de plusieurs mois qui coûte une fortune. Elles ne vont y aller que quelques fois, et avec le temps, y aller moins souvent, pour ensuite ne plus y aller pantoute et continuer à payer tous les mois un abonnement pour absolument rien !

Y'en a d'autres qui vont pogner une bulle d'air et qui vont aller dans les magasins s'acheter des machines comme le stairmaster ou le gros tapis roulant full options. Elles vont se faire une belle pièce d'entraînement pour montrer à la visite. Mais après une couple de fois à faire de l'exercice devant un mur, elles vont trouver ça plate! Ça se met à ramasser de la poussière, ces grosses bibittes-là, pis ça finit sur Kijiji!

J'ai une solution pour toi! On appelle ça une corde à danser ou à sauter – c'est selon! Oh que ça fait travailler en masse, une corde à danser! C'est bon pour le cardio et pour tes jambes. Pis, en plus, l'entraînement n'est pas long, mais c'est efficace! Tout ça en bas de 20 piasses!

C'est certain qu'au début, tu seras sûrement maladroite. Tu vas te péter souvent la corde sur le tibia, mais à force d'en faire, tu vas devenir bonne.

Fais-le cinq minutes par jour. Habituellement, cinq minutes, ce n'est pas long. Mais à la corde, c'est une éternité, crois-moi. **P'tit conseil : ici aussi je te suggère d'être bien totonnée pour faire cet exercice… si tu vois ce que je veux dire.**

Si tu fais cinq à dix minutes de corde par jour, tu vas avoir un super bon cardio, ton corps va se remodeler, tu vas éliminer des calories et tu vas avoir soif, donc tu vas bouère ton eau! C'est-tu une assez bonne solution pour toi, ça ? ●

Les
10 commandements
de Toutoune

1. Aucun miracle, tu n'attendras.

2. Aucune excuse, tu ne te trouveras.

3. Sain, tu mangeras.

4. Deux litres d'eau par jour, tu boiras.

5. Ton corps, tu écouteras.

6. Le sourire, toujours tu sortiras.

7. Honte de tes rondeurs, tu n'auras pas.

8. Fière de toi, tu seras.

9. Avec tes amis, tu partageras.

10. Toujours plus loin, tu courras.

Cours, Toutoune, **cours!**

Ce qu'il y a de bien avec la course, c'est qu'on y prend goût. Comme j'te l'ai déjà dit, le plus dur, c'est de s'y mettre. Mais après quelques semaines, on se sent plus en forme, on a plus de souffle, on court toujours un peu plus longtemps, un peu plus loin, un peu plus vite. Pis, ça fait en sorte qu'on prend confiance en soi (tsé, le fameux « T'es capable »), qu'on gagne en estime de soi, parce qu'on est fière de ce qu'on fait et de ce qu'on est.

Y'a un truc qui marche bien pour prendre conscience de tout ce qu'on accomplit : tenir un journal de course. Constater ses progrès, c'est motivant. Pis si tu calcules la distance que t'as parcourue au bout d'un mois, pis deux, pis trois, t'en reviendras pas... Tu seras ben fière de toi !

L'important, c'est de toujours faire pour le mieux et de faire de son mieux. Parole de Toutoune ! ●

Remerciements

Je tiens à remercier des gens importants pour moi dans cette belle aventure.

Un gros merci à Dominic Arpin pour son ouverture d'esprit et ses encouragements. Sans lui, *Cours Toutoune* n'aurait jamais existé !

Un gros merci à mon ami Benoît Granger du site lebiscuitchinois.com, car c'est à partir du moment où il a décidé de partager une de mes vidéos que l'aventure a pris toute son ampleur. Il est aujourd'hui la personne derrière mon site Internet et mes petites images dans mes pensées du jour.

Un merci spécial à ma famille, qui est toujours là dans mes projets, plus particulièrement à mon fils, Carl, qui est ma fierté, et à ma mère, qui est toujours là pour moi.

Merci à ma meilleure amie, Danielle, qui est dans ma vie depuis mon jeune âge. C'est ma sœur cosmique qui me dit toujours les vraies affaires.

Merci à Isabelle Jodoin, mon éditrice, d'avoir cru en moi, d'être aussi patiente, d'être un si bon mentor et de me faire vivre ce beau moment. Merci également à Marc G. Alain, l'éditeur du Groupe Modus, de croire si fort en ce projet.

Merci à Nolwenn Gouezel d'avoir retouché mes textes et pour tout le temps précieux qu'elle a consacré à faire de ce livre une si belle lecture. Merci à l'équipe de design graphique. Merci à Yohann Morin pour les superbes illustrations qui mettent un gros sourire dans ma face. Un gros merci à Marie-Eve Labelle, qui fait un excellent travail pour promouvoir le projet et planifier mon agenda !

Je remercie également les personnes qui ont pris le temps de me dire bravo et de m'encourager. Ça fait toute la différence quand tu es en période de doutes. Merci à François Lambert, Marie-Claude Barrette, Maxim Martin, Jean Pagé, Isabelle Maréchal, Richard Martineau et Élisa Cloutier.

Merci à Pierre Lavoie de m'avoir invitée à participer à la Grande marche du Grand défi Pierre Lavoie et de me soutenir dans mes *Cours Toutoune*.

Un gros merci aux fans. Sans vous, *Cours Toutoune* n'existerait pas. Merci pour vos commentaires, vos partages et vos encouragements. Je vous aime sincèrement.

Ressources

Pour suivre *Cours Toutoune* à votre rythme :
courstoutoune.com
facebook.com/courstoutoune

Pour commander votre super de belle bouteille d'eau et plus encore :
courstoutoune.ifmerch.com/fr/

***Cours toujours,* mon émission de télévision préférée :**
matv.ca/montreal/mes-emissions/cours-toujours/videos

Le site Internet qui a popularisé *Cours Toutoune* :
lebiscuitchinois.com

Pour bien vous équiper :
Coin des coureurs
runningroom.com/hm/index.php?lang=2

Boutique Zone course à Drummondville
zonecourse.ca

Pour avoir les conseils d'un kinésiologue :
alexandrehamann.com

Pour changer votre vie et vos habitudes :
Fondation du Grand défi Pierre Lavoie
fondationgdpl.com

Pour trouver des sentiers qui acceptent les chiens :
partoutavecmonchien.com

Bon, ça a ben l'air que le livre est fini,
faque sors dehors, pis va courir... Toutoune !